新 潮 文 庫

# 与之助の花

山本周五郎著

新潮社版

4921

# 目次

# 与之助の花

# 恋《こい》芙《ふ》蓉《よう》

一

「ああ――」

小菊《こぎく》は歓《よろこ》びに顫《ふる》えながら、そっと樅《もみ》の木にもたれかかった。

いつかしら月が昇って、森のこのま越しに淡い光が、小菊の肩から腰へのまるい線をなまめかしく照しだしていた。

「ゆるしてください」

鞆之助《とものすけ》は苦しげに、

「こんなことを申上げるつもりはなかったのですが、こんど戦場へ戻れば生きて帰らぬ体です。男が一生に一度の恋……ひと言あなたに打明ければ、私は満足して死ねます」

「いいえ、いいえ」

小菊はそっと頭を振った。

「あなたは死にはなさいませんわ、生きて帰っていらっしゃいますわ、もしあなたが討死なすったら、――小菊も生きてはおりませぬ」

「え、あなたは何を云《い》うのです」

「わたくしも、とうからあなたを、お慕い申しておりました」

「おお！」

靭之助はうたれたように立竦《たちすく》んだ。

もう言葉などはいらない、見交わした眼《め》と眼が、互いの胸に高鳴る血と血が、百万の言葉よりも強くふたりを結びつけるのだ。

「小菊！」

「靭之助さま！」

よろめくようにふたりはすり寄った。草のいきれと土のむす匂《におい》の中に、顫え戦《おのの》く胸と胸がひしとからみ合った、――森の奥で、夜鳥の巣鳴きが唆《そそ》るように聞えている。

「小菊――小菊はおらぬか」

地続きの庭のほうから、父親の呼ぶ声がひびいてきた。小菊ははっとして男の胸から離れ、羞《はじら》いながら衣紋《えもん》を正した。

「父が呼んでおります」

「お帰りなさい」

「はい」

鞆之助はもう一度小菊の体を引寄せた。

「もう私は死にません、必ず凱陣《がいじん》いたします、そうしたら御尊父に申上げて婚姻のお許しを受けましょう」

「きっと、きっと――ねえ」

「谷屋《たにや》鞆之助は今こそ伊達《だて》家中随一《かちゆう》の勇者です、待っていてください、あなたの良人《おっと》として恥しからぬ功名手柄《てがら》をたてて帰ります」

「うれしゅうございますわ」

小菊は火のような頰《ほお》を鞆之助の胸へすりつけると、つとすりぬけて森の外へ、――鞆之助は躍りあがりたいような歓びを胸いっぱいにして、遠のいて行く娘の後姿を見送った。

谷屋鞆之助は伊達政宗《まさむね》の家臣、禄《ろく》五十貫を喰《は》む徒士組《かちぐみ》だった。天正十七年冬、政宗が黒川城（後の会津若松城）の蘆名盛重《あしなもりしげ》と戦を構えるや、先鋒《せんぽう》として磐梯《ばんだい》山下に転戦、――手傷を負って帰郷したのであるが、それもようやく癒《い》えたので、四五日うちにはふたたび戦場へ戻ることになっていた。

「小菊か――」

柴折戸《しおりど》から入る気配で、障子をいっぱいに明けた広間の内から、父甚左衛門《じんざえもん》の大きく叫ぶ声がした。

「はい」

「早く来い、勘三郎《かんざぶろう》が戻っているぞ」

「まあ！」

小菊は急いで縁からあがる、——甚左衛門と向合って、従兄《いとこ》の杉森《すぎもり》勘三郎が寛《くつろ》いだ姿で坐《すわ》っていた。

「まあお従兄《にい》さま」

「小菊か、達者でいるな」

「わたくしよりお従兄さまこそ、どうしてお戻りなされました、お怪我《けが》でございますか、そして戦争の様子は」

「これ、そう何もかも一緒に訊《き》くやつがあるか、勘三郎はの、このたび思召《おぼしめ》しによって朱兜隊《しゆかぶと》に廻《まわ》り、しかも隊長に任ぜられたのだぞ」

「朱兜隊の隊長——まあ」

小菊は眼を大きく瞠《みは》った。勘三郎は高額に謙遜《けんそん》の色をうかべながら、

「それほどの器量でもないが、二本松の合戦で先隊長須藤鬼弥太《すどうおにやた》殿が討死をした、その後釜《あとがま》を頂戴《ちようだい》したのだよ」

「お立派ですわ、ねえ父上さま。杉森の一族から朱兜隊長を出すなんて、こんな名誉なことはございませんわ」

「それから谷屋なあ」

勘三郎が言葉をついだ。

「あの鞆之助も朱兜隊に廻されたぞ」

「鞆之助さまも、まあ――」

小菊は思わず頰の熱くなるのを感じた。

二

朱兜隊というのは百騎をもって組まれ、隊士はいずれも果敢豪勇の人物を選び、また隊の目印ともいうべき鉢金《はちがね》を朱色に塗った兜は、政宗からじきじきに下賜《かし》されるという名誉の遊撃部隊であった。

勘三郎の帰郷は、陣中の政宗から本城米沢《よねざわ》への報知に兼ねて、留守役の親族に出世の喜びをわかってこいと、五日の休暇をもらってきたのであった。

「幼な馴染《なじみ》の二人、幸いにして勘三がひと足さきに出世したが、鞆との仲に高下はない、これからは二人力を協《あわ》せて朱兜隊の威力を天下に示してやるのだ」

「勇ましい勇ましい」

甚左衛門は膝《ひざ》を打った。小菊は勘三郎の逞《たくま》しい横顔をたのもしく見戍《みまも》りながら、

「お従兄さまが隊長なら、谷屋さまもきっと眼覚しいお働きができましょう、どうぞお二人揃《そろ》って立派な手柄をおたて遊ばせ」

「もうよいぞ小菊、おまえは行って酒の仕度をしてくれ、何は無くとも今宵《こよい》は祝宴じゃ」

「はい、たんと御馳走《ごちそう》を作りましょう」

いそいそと立って行く小菊の後姿を、勘三郎は熱い眸子《ひとみ》でじっと見送った。

往来に二日とられる中三日の休暇は瞬《また》くうちに過ぎてしまった。明日は早く戦場へ発足という前夜のことである、――鞆之助も招いて袂別《べいべつ》の酒宴を張ったが、それもようやく終って甚左衛門は寝間へ退き、鞆之助は帰って行った。

微酔の頰をさまそうと、庭へおりた勘三郎は、伯父の愛する春咲きの珍種、芙蓉《ふよう》畑の白い花が咲揃っているところへやって来た。

「月も佳《よ》し、花も良し、――」

宵のうすじめりした微風に鬢《びん》を吹かせながら足をとめる、と、うしろに足音がして、小菊が静かに近寄ってきた。

「いよいよ明日はお別れですのねえ」

「小菊か、伯父上は」

「いま臥床《ふしど》へおはいりなされました」

「今宵はだいぶ召されたなあ」

「嬉《うれ》しいのですわ、お従兄さまを自分の子のように思っているのですもの、ゆうべもゆうべ、軍兵衛《ぐんべえ》が生きていたらどんなに悦《よろこ》ぼうぞ、――そう云って悲しそうに」

「父が生きていたら」

勘三郎はそっと呟《つぶや》いた。早く母を失い、続いて父軍兵衛に先立たれた勘三郎は、甚左衛門を父とも母とも思って育った。軍兵衛と云われても、――眼にうかぶ俤《おもかげ》は濃霧のかなたにうすれていた。

「なあ小菊」

「はい」

「勘三は今宵、おまえに打明けて話したいことがあるのだ、聞いてくれるか」

勘三郎の声はかすかに顫えていたが、小菊はそれに気付くまでもなく、思わずこちらも急《せ》きこんで、

「あら、わたくしもよ、お従兄さま」

「おまえが――?」

「わたくしもお話がありますの」

そう云って、しかし小菊は思わず自分のうわついた調子に気付き、さっと頰を染めた。

「聞こう、話してごらん」

勘三郎の胸は騒いでいた。

「いいえ、でもお従兄さまが先ですわ」

「おまえ云ってごらん」

「いやですわ、どうぞお従兄さまから」

小菊は媚《こ》びるように身をもんだ。半年まえには見なかったなまめかしい身振、溢《あふ》れるばかりの嬌態《しな》が若い勘三郎の心を烈《はげ》しく唆るのだった。

「小菊、おまえ、――」

「あら」

小菊はふいに身をそらすと、そこに咲誇っている芙蓉の一輪を摘取《つみと》った。

「まあ、小菊の芙蓉が咲きましたわ、この一本だけはわたくしが丹精しましたの、――お従兄さま、これをもらってくださる?」

差いながら差出す花を、勘三郎はしかと受取った。その時――小菊の髪があまく匂い、乙女の肌《はだ》の香が勘三郎の心を掻紊《かきみだ》した。

「でも摘んだ花はすぐしぼんでしまいますわねえ」

「たとえ花は枯れても、これをくれたおまえの心は枯れはせぬ、勘三は大事に、――大事にしまっておく」

「お従兄さま！」

小菊は思切ったように振返ったが、やはりいざとなると勇気が挫《くじ》けて、袂《たもと》で顔をかくしてしまった。

「いいえだめ、申上げられませんわ」

「どうしたのだ、小菊」

「お願いがあるのですけれど、でも、でも恥かしいのですもの」

勘三郎は思わずひと足進み出た。と、――小菊は身をしさらせながら、

「お手紙を差上げますわ、後から、お手紙ですっかり申上げますわ、でもどうぞ小菊をお嗤《わら》いなさいますな、ねえ」

そう云うと、そのまま踵《きびす》をかえして小菊は母屋《おもや》のほうへ走り去った。

「有難う」

# 三

明る朝早く。

馬上の若武者二騎、米沢から二本松へ向かって吾妻《あづま》越を急いでいた。峠へかかると靹之助はうしろを見返って、

「やあお城が見える」

「少し馬をやすめるとしようか」

二人は馬を繋《つな》いで草の上に腰をおろした。

「杉森、――」

靹之助はひと汗拭《ふ》くと、

「実は貴公に折入って頼んでおきたいことがあるのだ」

「なんだ、戦場に骨を拾う頼みなら互いのことだぞ」

「いいやそうではない」

靹之助は少し顔を赧《あか》めて、

「こんど度の戦にもし武運めでたく凱陣することができたなら、おれは嫁を娶《めと》ろうと思っている」

「仲人《なこうど》せいというのか」

「うん、相手は貴公も知っている人だ」

「誰だろう」

勘三郎は微笑しながら空を見上げた。ゆうべの胸躍るいっとき、小菊のなまめかしい姿が、幻のように思出されたのである。

「そう云えば分るはずだが」

「はてな」

「初めにこという字がつく」

「こ——、はて、村井の小房《こふさ》か」

「違うよ、あんなおかめ」

「では長谷部《はせべ》の」

「いや小袖《こそで》は忠太の許婚《いいなずけ》だ」

「妹があるだろう」

「ばかな、あれは今年まだ十一歳だ」

二人は声を合せて笑った。

「とすると、この字のつく娘は」

「今度は分るだろう」

勘三郎はぎくっとして眼を外《そ》らした。鞆之助は暫《しばら》く待ったが返辞がないので、我慢できずにひと膝ゆり出し、

「貴公の従妹《いとこ》小菊どのだ」

「――――」

「仲人たのむ、なあ」

勘三郎は大きく息をつきながら立った。

鞆之助とは幼友達、それも弟のように馴れ愛してきた男である、今日までは悲しみも歓びもわかち合い、互いに精励しつつ死すとも離れじと、固く友情で結ばれていた、――それがいま、自分と同じように一人の小菊を嫁にと望んでいるのだ。

「だめか勘三」

「鞆、――」

勘三郎は振向いた。

「外のことと違って一生の大事だから、おれは遠慮をせずに云うが、小菊のことなら諦《あきら》めてくれ」

「諦めろ、なぜ？」

鞆之助は訝《いぶか》しそうに見上げた。

「隠さずに云おう、実は小菊はおれが命に代えていとしく思う女だ、今度帰って来たのもひとつには小菊の気持をたしかめてみたかったからなのだ」

鞆之助の顔色がさっと変った。勘三郎は眼を伏せた、鞆之助は鋭く、

「それで、小菊は承知したか」

「承知した、――とおれは思う」

「嘘《うそ》だ！」

「なに？」

「嘘だ、大嘘だ！」

鞆之助は立上って嘲《あざけ》るように、

「その証拠には、小菊はすでにおれと堅く約束を交わしているのだ、あのひとが二人も三人も心を許すひとか、嘘を云うな！」

「貴公が小菊と約束した？」

「そうよ、忘れもせぬ、貴公が戦場から帰った晩、神戸の森で二人っきり、凱陣したら夫婦になろうと、――」

「黙れ、鞆！」

勘三郎は大声に叫んだ。前夜の小菊の様子、芙蓉の花を摘取ってくれた姿が、まだありありと眼にある勘三郎は、一図《いちず》に靭之助の言葉を恋に眩《くら》んだ暴言と思った。

「貴様、小菊を辱《はずかし》めるか」

「辱めるとはそのほうのことだ、心許さぬ者がなんでおれと忍び逢《あ》う、現に、――」

「やめろ」

「やめぬ、おれと小菊とは」

「うぬ飽くまで云うか」

かっとした勘三郎、いきなり拳《こぶし》をあげて靭之助の高頬を殴りつけた。靭之助はよろめいたが、手向いもせず冷やかに嘲笑《あざわら》った。

「殴れ殴れ、それでおれをやっつけたと思うなら幾らでも殴るがよい、貴公は朱兜隊の隊長だ、おれは手向いはせぬぞ」

「ばか者、恥を知れ」

「有難う、覚えておこう」

云いすてると、靭之助は馬を曳出《ひきだ》し、とび乗るとそのまま後をも見ずに峠を越えて駆《はし》り去ってしまった。

## 四

四月本宮《もとみや》を陥《おとし》れ、三春《みはる》、守山と敵塁を抜いた伊達政宗は、さらに須賀川《すかがわ》を占領して一気に本城黒川を攻め落とそうとしたが、長沼城によった蘆名の勇将高田玄蕃盛高《たかだげんばもりたか》が頑強《がんきよう》に攻口を塞《ふさ》いで動かぬ、ついに対陣月余に及んだ。

荏苒《じんぜん》時をすごせば、相模《さがみ》北条の北漸を怖れねばならぬ、淋雨《りんう》降りつづく六月はじめ、政宗は奮然鞍《くら》をうって決戦すべきを令し、老臣片倉景綱《かたくらかげつな》をして摺上原《すりあげはら》に進ましめ、別に遊撃として朱兜隊を勢至堂《せいしどう》におき、秘策を授けて必死の陣を敷いた。

嶮路《けんろ》難行、勢至堂に到った朱兜隊は、身隠れの森に馬を駐《と》め、地理を按《あん》じ剣を磨《ま》して軍令の至るのを待った。

「夜襲《よがけ》を決行すべし！」

第一の軍令は六月十四日に来た。

朱兜隊の任務は長沼城の搦手《からめて》へ奇襲をかけるにあった。片倉勢が大手へ攻めをかける前に、城兵の勢力を二分するため、——日頃《ひごろ》『朱兜隊の先鋒するところ必ず伊達勢の主力あり』という定評を利用し、とくにこれを奇襲部隊にあてたのである。

転戦、——また転戦。

杉森勘三郎は隊士を集め、その内十名を選んで先鋒とした。

「このたびの任務は、合戦を勝利に導くか敗亡せしめるか、二途を岐《わ》ける重大な責が懸っているのだ、一人も生きて帰ると思うな、髑髏《どくろ》を泥土《でいど》に委《まか》して朱兜隊の名を万世に輝かすべき時だぞ、――出陣」

朱兜隊は身隠れの森を発した。

霧のような雨が、降っていたかと思うといつかやみ、雲間から皎々《こうこう》と月がさし出《い》でた、しかしそれもながいことではなくて、すぐにまたじとじとと雨になる、――嶮路ところどころ土砂が崩れ、渓沢《けいたく》は水嵩《みずかさ》を増して行軍の困難は思いのほかにひどかった。

鞆之助はその四五日すっかり気力を失い、身も魂も憔悴《しょうすい》していた。

「勘三郎は小菊を自分のものにしようとしている、おれはいつか勘三郎のために死地に陥れられるに違いない」

そういう危惧《きぐ》が、吾妻越の峠の日からこのかた、いつも頭から去らなかった。杉森は隊長で自分は部下である、隊長の命令とあればどんな危地にも踏込まねばなるまい、

――

「あいつおれを殺す、きっと殺すぞ、だがおれはそうむざむざとは死なぬ、おれは生きるのだ、たとえ一日でも小菊と夫婦になるまでは、石に噛《かじ》りついても生きてみせる

ぞ！」

かたく心に誓いながら、毎日来る日も来る日も勘三郎の眼を挑《いど》むように睨《にら》んでいた。

「殺すのは今日か、明日か」

張りきった弓弦《ゆづる》のように、勘三郎の命令のあるのを待っていると、今日の軍令である、いよいよその時が来たなと思った。

「さあ来てみろ、鞆之助はそう易々《やすやす》とは死んでやらぬぞ！」

拳を握って軍に従った。

木幡《こばた》へ来ると、一度そこへ停《と》まって、馬に水をやり兵は戦装をととのえた。勘三郎は馬上に隊士を見廻しながら、

「これから夜襲にかかる、先鋒隊は隊長の側《そば》にいろ、号令があったらまっすぐに柵《さく》の中へ斬込《きりこ》むのだ、一人も退くことならぬぞ、——軍令に反《そむ》く者は刑殺だ、出発！」

一同粛然と進発した。

強行すること半刻《はんとき》、竹柴の柵ま近に迫った朱兜隊は、そこで兵をひらき、用意してきた仕掛けの大巻藁《おおまきわら》を十束、おのおの半丁の間隔をおいて並べ、一時に火を放って、

「わあっ！」

わっと鬨《とき》をつくった。

突忽《とっこつ》として起った喚声、闇天《あんてん》を焦《こ》がして燃上る火の手を見て、すわこそ夜襲ぞと城中は色めき立った。篝《かがり》の火に右往左往する人馬の姿、見るより勘三郎は鞍上《あんじょう》高くばらりと采配《さいはい》を振った。

「かかれ――」

言下に朱兜隊の面々、どっとおめきつつ、柵へ向って殺到した。

城内の兵またこれに応じて、篝火炎々と焚《た》きあげつつ、木戸をかため雨のごとく箭《や》、鉄砲を射かけて防戦したが、――瞬く暇にひしひしと詰寄せた敵兵、兜の鉢金朱に塗られたのを見るなり仰天して、

「やあ、あれを見ろ、朱色の兜だ」

「朱兜隊だ」

「さてこそ伊達の精鋭ぞ、加勢を呼べ」

「加勢を呼べ」

とにわかに強いどよめきが巻起った。

## 五

果して政宗の策は的中した。

朱兜隊のあるところ必ず伊達の主力ありという今までの経験で、城兵は全く狼狽《ろうばい》の渦《うず》に巻込まれた。馬上に機を見ていた勘三郎、時分は良しと、

「先鋒かかれ！」

命をくだした。

逸《はや》りたつ馬を制して、号令おそしと待構えていた先鋒の一団、声に応じてわっと鬨をつくるや、馬腹を蹴《け》って雪崩《なだれ》のごとく、無二無三に木戸へ殺到する、――討って出ようとする城兵の鼻先へ、逆を衝《つ》いたからどどどとたじろぐ、見るまに木戸を破って先鋒十騎は柵内へ斬込んだ。

閃《ひらめ》く剣、飛ぶ槍《やり》、狂奔する馬、叫喚、どよめき、瞬時にしてそこには無惨《むざん》な血戦が展開された。一番組頭《がしら》の瀬越十郎太《せごしじゅうろうた》が、馬を乗りつけてきて叫ぶ。

「隊長、二番手をかける時です」

「まだ！」

勘三郎は見向きもしない。

「城兵は混乱しています」

「知っている」

「後れては先鋒が鏖殺《おうさつ》です」

勘三郎は返辞をしない。――そこへ新井弥兵衛《あらいやへえ》と三番組頭畑中忠之進《はたなかちゅうのしん》、依田権七《よだごんしち》の三名が馬を煽《あお》って来た。彼らの後には谷屋鞆之助の怯《おび》えたような顔がある。

「隊長、斬込む時です」

「先鋒は苦戦しています」

「我々をやってください」

「隊長！」

併《しか》し、その時勘三郎はすっくと馬上に伸び上って、采配をうち振ると大音に叫んだ。

「退け――」

意外な号令。

「あ！」

四名は仰天して、しばらくは言葉もなかった。すると鞆之助がいきなり馬を寄せて来て、上ずった声で喚《わめ》きだした。

「退けと云うのか、この名誉ある朱兜隊に退却しろと云うのか、かしこに苦戦している先鋒を見殺しにして！」

「隊長、それはできません」

瀬越十郎太も詰寄った。

「せっかく斬込んだ隊士をどうするのです、あれを見棄てて退くなど、我々には到底できぬことです、隊長！」

「退くのだ、兵を集めろ」

勘三郎は強く叫んだ。

「軍令に反く者は刑殺だぞ」

「――」

誰もかも、勘三郎の厳とした言葉に逆う者はなかった。勘三郎は馬首を回《かえ》した。

朱兜隊は槍を伏せ、声を収めて退却を始めた。誰一人として後を振返る者はない、――雨はまた音もなく降りだし、兵の兜に物具《もののぐ》に滴《しずく》を流した。勢至堂峠にかかった時、遥《はるか》に長沼城のあたりで高く鬨の声のあがるのが聞えた。斬込んで行った先鋒が全滅したのであろう。聞く者みな胸を刺される思いで、暗然と馬を駆って陣地へ帰った。

本陣からの軍令は次々と来た。

「今夜半、夜襲を決行すべし」

「明朝暁闇《ぎょうあん》を衝いて強襲すべし」

そのたびに惨澹《さんたん》たる襲撃は繰返された。二回、――三回、――四回。そしてそのたびごとに先鋒として斬込んで行く者は全滅して、今や朱兜隊士はその数半分となってしまった。依田権七も死んだ、三番組頭畑中忠之進も死んだ、瀬越十郎太も帰らなかった。

黄昏《たそがれ》の色が濃くなると、

「今夜こそおれの番だ」

靭之助は骨を削られるような恐怖に襲われるのであった。

「ああ、小菊、おれは、——」

靭之助は喘《あえ》ぐように呟《つぶや》く、

「おれは死ねぬぞ、死ぬならひと眼、せめてひと眼会いたい、ひと言別れを云ってから死にたい、小菊——」

二十五歳の今日まで、武家に人と成って後れをとったことのない彼、幾戦場に命を賭《と》して奮戦し、若手の内にも果敢の者に数えられている靭之助が、小菊あればこそ心を刺す苦痛未練であった。

苦悩は日となく夜となく続いた。一日ごとに同輩の姿は減ってゆく、罠《わな》にかかった獣が一寸ずつ縄《なわ》をつめられるように、じりじりと迫ってくる死の手だ。

「駄目《だめ》だ、いつかは来る」

靭之助は絶望して叫んだ。

「いつかはおれの番が来るのだ、どう藻掻《もが》いても生きて帰れる術《すべ》はない、それならばいっそ早く死のう、もう待っているのは沢山だ、小菊、――おれは死ぬぞ！」

靹之助は勘三郎の前へ走って行った。

「隊長、お願いです」

「何か用か」

勘三郎はその時、小菊へ送る手紙を書いていたが、筆をおいて振返った。

「私はもう朋友《ほうゆう》の死んで行くのを見ているのに堪《た》えられません、今宵の夜襲には私を先鋒の内へ加えてもらいたいのです」

六

勘三郎はしばらく靹之助の顔を見戍《みまも》っていたが、やがて静かに云った。

「靹、――おまえまだあの時のことを根に持っているのか」

「私は先鋒に加えてもらいたいのだ」

「まあ聞け」

「許してもらえますか」

勘三郎は立上って大股《おおまた》に歩み寄ると、靹之助の肩をしっかり摑《つか》んだ。

「鞆、よい加減にするものだぞ、おれとおまえとは幼い頃から約束がしてあった筈《はず》ではないか、――生れた時こそ違え、死ぬ時には必ず二人一緒と」

「そんな甘口は沢山だ、おれは自分がいつかは殺されるのを知っている」

「止《よ》せ！」

「止さぬ、恋敵《こいがたき》に命の綱を握られている鞆之助だ、死ぬと決って一日延ばしに生きることがどんなに辛《つら》いか貴公に分るか、もう沢山だ、ひと思いに殺されたい、やってくれ」

「貴様――！」

さすがに勘三郎が色をなして詰寄る、――とその時、馬を煽って本陣からの伝騎が来た。

「軍令でござる」

「御苦労」

勘三郎は踵をかえすと、大股に立って行って軍令を受取った。鞆之助のほうへは眼もくれず手早く披見《ひけん》すると、
一、明朝明け八つ刻、大手片倉勢は総攻撃を開始すべし。
一、これが牽制《けんせい》のため朱兜隊は最後の強襲を決行せよ。全士一人も生還あるべから

ず。

一、政宗が冥途《めいど》の先駈《さきがけ》は朱兜隊なるぞ。

右京太夫政宗　華押《かおう》

「委細承知仕《つかまつ》った」

勘三郎はにっこと笑って、

「御前よろしゅう」

「御免！」

伝騎は一揖《いちゆう》すると馬を回した。勘三郎は力強く鞆之助の前へ戻ってきて云う。

「鞆、おまえの望みが恊《かな》ったぞ」

「――！」

「本陣からの軍令だ、いよいよ朱兜隊生残りの同士、全部轡《くつわ》をならべて討死する時が来た、つまらぬ意地などは捨てろ、潔《いさぎよ》く二人一緒に死のうぞ」

鞆之助は併し、鋭い憎悪《ぞうお》の眸子《ひとみ》で勘三郎を睨みつけたまま、大股にそこを立去って行った。――ただちに兵が集められた。

最後の戦闘と聞いて、隊士の活気は頓《とみ》に燃えあがり、馬を洗い剣を検《あらた》め、身を浄《きよ》めて決戦の仕度を急いだ。その時、――一度帰って行った本陣からの伝騎が引返して来

て、

「隊長杉森殿に」

と叫ぶ、勘三郎が出て行くと、

「至急の軍令で失念しました、本陣から別に一通書面をことづかって参ったのです」

「拙者にか」

「はい、これです」

伝騎は書状を渡すと、再び馬を回《めぐ》らせて本陣へ駆《はし》り去った。

書面を手にした刹那《せつな》、勘三郎はすぐに小菊からだと思い、われにもあらず戦《おのの》く手に封を切ると、正しくそれは小菊の筆だった。

「おお、やはりそうか」

あの夜、芙蓉畑の中で、――あとから手紙に書いて送ると云った、約束の文《ふみ》であろう。勘三郎は人眼を避けて森の茂みへ入ると、草の上に腰をおろして披《ひら》いた。

――心急《せ》き候《そうろう》まま我ことのみ申上候。いつぞや従兄上《あにうえ》さまにお願いのことありと申上候は、わたくしと鞆之助さまの儀にて――

「なに、鞆と小菊？」

勘三郎は不安になって次を急ぐ。

——父上にはなかなか、従兄上さまにこそお打明け申候、まことこの春より靹之助さまは小菊の良人《おっと》にござ候。

「あ！」

勘三郎はぐさと胸を刺され、思わず苦痛の呻《うめ》きをあげながら頭を垂れた。——靹之助こそ小菊の良人……小菊の良人？　なんと鋭い棘《とげ》のある言葉だ。しかし勘三郎はきっと唇《くちびる》を嚙《か》みしめながら次を読む。

——淫《みだ》ら者とのお叱《しか》りはもとより、しかるうえにまた一つお願いのござ候。聞き及び候ところこのたびの戦こそ皆々さま必死にて、一人も生きて還《かえ》ること覚束《おぼつか》なしとのこと、良人を戦場に喪《うしな》うは武家の習いなればかねて覚悟のことには候えど、生前にひと眼《め》会って未来の約束交わしたく候、未練者とのお蔑《さげす》み重々承知にて、小菊が七生を賭《か》けてのお願い、従兄上さまにお縋《すが》り申候。——わたくし唯今《ただいま》須賀川の御本陣に参りおり候えば、何とぞひと眼だけお会わせくだされたく、お計らいのほど待入り候。

「む、——ああ」

勘三郎は胸を摑んだ。

「知らなかった、知らなかったぞ小菊——、おまえが靹と恋仲であろうとは」

# 七

黄昏の霧が森を暗く包んだ。

一刻ばかりして、勘三郎は森の中から出て来たが、顔色蒼白《あおざ》め眼窪《めくぼ》み、苦悩のあとが痛ましいまでに深く刻みつけられていた。陣所ではすでに炊飯を終って、最後の晩餐《ばんさん》をするために隊士たちは円坐をつくって集った。

「谷屋！」

勘三郎は近寄って声をかけた。

「本陣への使だ、仕度をしてすぐに出立してくれ、急ぐぞ」

「使者、おれが行くのか」

黙って大股に自分の馬溜《うまだま》りのほうへ行く勘三郎のあとを、鞆之助は顔色を変えて追った。——この瀬戸際《せとぎわ》へきて自分一人だけは隊から切り離される、さてはいよいよ勘三の奸計《かんけい》かと思った。

「何のためにおれを選ぶのだ」

「命令だ、説明する必要はない」

「いやだといったら、——？」

勘三郎は振返って一封の書状を差出した。靭之助は挑戦《ちょうせん》するように勘三郎の顔を見上げたが、相手の眼は冷たく冴《さ》え、ひき結んだ唇には拒むことを許さぬ威厳があった。

「これが殿への御報告だ、夜襲は九つから始める、須賀川へ行って来たのでは間に合わぬから、ここへ帰って来るには及ばぬぞ」

「そうか」

靭之助はしたりと頷《うなず》いて、、、

「そうだったのか、今はじめて分ったぞ、今日までおれを殺さなかった訳が、殺すよりもっと辛辣《しんらつ》な復讐《ふくしゅう》の方法だな、朱兜隊が全士最後の夜襲に、おれ一人が後れて生残るのだ、おれだけが残って生恥《いきはじ》を――」

「行け！　急ぐのだ」

勘三郎の叫びは苦しそうだった。

「行こう、隊長の命令に反くことはできぬ、これで貴様も満足だろう、――だがひと言云っておくぞ、おれは貴様を呪《のろ》ってやる、地獄の底までも呪ってやるぞ、下司《げす》め！」

靭之助は身を慄《ふる》わせながら、足早に自分の馬のほうへ去って行った。

勘三郎はしばらく眼を閉じたままそこに佇《たたず》んでいたが、やがて内ぶところから小さな袱紗包《ふくさづつみ》を取出してひらいた。——中にはみじめに萎《しお》れた芙蓉の花が一輪。

「この花をくれた小菊の気持が、おれには今になって分ったような気がする、——摘《つみ》取《と》った花はしぼむ。小菊よ、この芙蓉のように勘三郎の恋も枯れてしまったぞ、残るものはおまえの清浄な心だ、おれはおまえの美しい俤《おもかげ》をいだいて勇ましく討死するぞ」

勘三郎の頰《ほお》に清らかな微笑が現われた。解脱《げだつ》した気持、今こそ彼は笑って討死ができるのだ。

一方、難路強行して鞆之助は四つ過ぎに須賀川の本陣へ着いた。

総攻め前の殺気だった陣中に、愛笛をしらべていた政宗は、勢至堂からの急使と聞いてすぐに、鞆之助を親しく招き寄せた。

「夜中遠路の騎行、さぞ難儀であったろう、許す床几《しょうぎ》をやれ」

「は！」

政宗の言葉に近習の士が床几をとって鞆之助へ与えた。——政宗は書状を取って披く。

勘三郎の上書は、六月十四日以来の朱兜隊の行動、夜襲の仔細《しさい》、討死した隊士の名を列記し、さらに今夜半の攻について精《くわ》しく報告したもので、——末尾に筆を改め、

——使者として差立て候は、谷屋輌之助とてあっぱれものの役に立つべき人物に御座候。今宵全士必死に候えば、朱兜隊の名誉を伝うべき者この一人に候。御側近《おんそば》く召使われ候よう奉《こんがんしたてまつり》懇願候。

朱兜隊長　勘三郎祐次

「うん」

政宗は頷いて書状を措《お》いた。

「そち谷屋と申すか」

「は」

「よしよし、唯今より本陣に留《とど》まるがよい、朱兜隊生残りとして側に召使うてやるぞ」

「お側に、——？」

「勘三から頼みもある、今宵の総攻に朱兜隊が全滅した場合には、名誉ある隊士として名を伝うべき一人、果報めでたき武功者であるぞ、心して働け」

輌之助は無言で低頭した。

「使者の役大儀であった、下って休息するがよかろう、誰ぞ労《いた》わってやれ」

「は、——」

意外な名誉、輌之助はなかば夢心地で、近習の士に伴われつつ御前をさがる、——

仮屋の幕を外へ出た時、闇《やみ》の中から、

「靹之助さま」

と低く叫びながら出て来た者があった。

「誰だ」

ぎくりとして振返ると、足を乱して走り寄った白い顔。小菊と知って靹之助仰天した。

「おまえ、小菊か」

「会いとうございました」

遠慮も忘れてすり寄るふたり、思わずひしと抱合う手と手だ。案内していた近習の士は、それと見るより暗がりへ立去った。

八

「小菊――小菊」

「あなた」

「会いたかったぞ」

「会いとうござりました」

ふたりは弾んだ声で、狂おしく囁《ささや》きながら、相手の肩を背を撫《な》でひき緊《し》め、憑《つ》かれたごとく烈《はげ》しい愛撫《あいぶ》を繰返した。

やがて鞆之助は身をはなし、

「それにしても無分別な、女の身で戦場へ来るなどとはどうした訳だ」

「叱らないで、ねえ」

小菊は甘えるように、

「今度はとても生きてお帰りはむつかしいと伺いましたので、生前いま一度お会いして未来の約束をしたいと存じ、恥を忍んでお従兄《にい》さまにお縋りしたのです」

「ちょっと、――誰に縋ったって?」

「お従兄さまですわ、今日御本陣から使者がたつのへお頼みして、お手紙を差上げたのです、お聞きになりませんでしたか」

「――――」

鞆之助は愕然《がくぜん》とした。

小菊から勘三郎へ、ひと眼会わせてくれと手紙をやった。それでは勘三郎が今宵、自分を本陣へ使者に立てたのは、復讐する手段ではなかったのか、――?

「知らなかった」

鞆之助は低く呻《うめ》いた。

今こそはっきりする。勘三郎は小菊の手紙を読んで、初めて小菊の心が分ったのだ、彼は自分の恋を諦《あきら》めて、小菊の幸福を計るためにおれの生命《いのち》を助けたのだ。——勘三は始めからおれを殺そうなどとはしていなかった、それをおれが一人で疑い、憎み、呪っていた。今宵のあの蒼白《あおじろ》い顔は、何もかも諦め、おれたちふたりの仕合せを祈る顔だったのだ。——勘三郎は死ぬぞ！

「ああ過《あやま》った！」

鞆之助はきっと面《おもて》をあげる。

「小菊、さらばだ」

「あ、どうなさいます」

「勘三は死ぬ、おれは勘三を殺すことはできぬのだ、行くぞ」

ぐっと女の手を握ると、

「ま、待って」

取縋る小菊の手を振放して、鞆之助は繋《つな》いでおいた馬のほうへ脱兎《だっと》のように走った。

またしても霧のような雨が、——

「勘三、生きていてくれ」

鞆之助は馬首を勢至堂へ向け、鞭《むち》をあげながら心に叫んだ。

「このままでは死なせぬぞ、会ってひと言詫《わ》びが云いたい、生きていてくれ勘三！」

暗々たる道、飛沫《ひまつ》をとばす蹄《ひづめ》、泥濘《でいねい》の畑、林、丘の差別なく、鞆之助は狂気のように鞭を当て鞭を当て、馬を煽《あお》って塔本へ来ると、峠を左にみて右へとる、身隠れの森から長沼城へ、朱兜隊の攻口を逆に廻る道筋だ。

幾度か木根に躓《つまず》いて顚倒《てんとう》する馬を、引立て引立て強行を続けるうち、ようやく木間《このま》越しに篝火《かがりび》の光がちらちらと見え始めた。潮騒《しおさい》のごとく軍馬の声も聞える、——合戦はすでに始まったらしい。

「待ってくれ勘三、鞆が行くぞ」

さらに挺進《ていしん》十余丁、主人を失った馬が、三頭五頭と狂奔して来る、もうすぐそこだ。

「わ——、わっ」

手に取るように近づく鬨の声、ついに戦場が眼前に展開した。乱れとぶ剣光、叫喚、死の呻き、馬も人も揉《も》みかえし揺りかえし、燃えさかる篝火に、眼を血走らせた軍兵の斬結ぶ姿が地獄絵のごとくうつし出された。

鞆之助は脇目《わきめ》もふらず死闘の群の中へ馬を乗入れる、隠見する朱色の兜をめがけて、剣を大きく振りながら叫んだ。

「勘三、鞆はここだぞ」

矢叫《やたけ》びが彼の声を消した。

「勘三、どこにいる、鞆が来たぞ、勘三、鞆之助はここへ来ているぞ、——」

しかし、怒濤《どとう》のような戦塵《せんじん》は、人も馬も覆《おお》いかくし、渦巻《うずま》く殺気叫喚、乱軍の中に、何もかも渾沌《こんとん》と巻込んでしまった。


夜が明けた、合戦は終った。

伊達勢は大勝して黒川城を占領し、蘆名《あしな》一族は戦場を脱して南へ遁走《とんそう》した。勝鬨《かちどき》の声天地をゆるがす輝かしい朝の晴れま、——谷屋鞆之助は搦手《からめて》の戦跡を廻って、華々しく枕《まくら》を並べて討死している朱兜隊士の中から、ようやくにして杉森勘三郎の屍《しかばね》を捜しだした。

「おお、勘三！」

鞆之助は声を顫《ふる》わせながら勘三郎の亡軀《なきがら》を抱き上げ、冷たい胸へ力も失《う》せて泣き伏した。

「とうとう会えなかったなあ。ひと眼会いたかったのに、ひと眼。——残念だ、勘三、おれを赦《ゆる》してくれ、赦してくれ」

嗚咽《おえつ》が鞆之助の言葉を途切らせた。

またしても黒川城の塁壁をゆるがして、高々と勝鬨の声があがった。二度、三度、——長い淋雨《りんう》があがるのであろうか、東の空にくっきりと強く青空が描かれていた。勘三郎の死顔は、晴れ晴れと笑っているかのように見える、そして冷たくなった左手に、しっかりと袱紗包を握っていた。芙蓉の花を秘めたあの——袱紗包を。

（「キング」昭和十年三月号）

# 孤島

# 一

西海丸が鳥羽《とば》の港を出帆したのは、寛文三年四月十日のことであった。

その日は朝から良い凪《なぎ》で、鳥羽の多島湾を出て熊野灘《くまのなだ》へかかるまでは、まるで池のうえを航《はし》るように静かだったが、大王崎の沖を過ぎる頃《ころ》から空模様が変り、西南の強い風が吹きはじめた。

鳥羽で乗った二十人ばかりの客のうちに、若い武家の兄妹がいて、舷《ふなばた》から沿岸をながめていたが、船が揺れはじめると妹の方が酔って来たとみえ、蒼白《あおじろ》くなった顔を伏せてかがみこんでしまった。

「夏江、どうした」

兄の方が心配そうに、「気持でも悪いのか」

「はい、何だか少し胸が苦しくなって」

「それはいけない」

兄の武士は覗《のぞ》きこんで、「では下へおりていよう、ひどく酔うと困るから」

「ではそうして……」

苦しげに頷《うなず》きながら立った。

荷物を持って、梯子口《はしごぐち》から妹を援《たす》けつつ胴間《どうのま》へ下りて行った武士は、うす暗い十五畳敷ばかりの仕切の中央へ、荷物を置き、妹を坐《すわ》らせてやった。——十人あまりの客が、思い思いにかたまって雑談をしている。

「少し横になったらどうだ」

「ええ、でもこの方が楽のようですわ」

「薬を出そうか……」

と云《い》いかけて、不意に若い武士は顔をあげた。——隅《すみ》の方で一人の武士が、船売りの肴《さかな》をつまみながら酒を呑《の》んでいる。

「ああ！」

若い武士はそれを見ると呻《うめ》くように、「栖崎《すざき》が……十次郎がいる」

「え？」

妹もその声に振返ったが、「あ……！」

と色を変えた。——一瞬、兄妹は撃たれたように居竦《いすく》んだが、すぐに兄の方が大剣をひっ摑《つか》んで立ち、

「栖崎十次郎、此処《ここ》にいたか！」

と叫びながら踏み寄った。栖崎十次郎と呼ばれた武士は、盃《さかずき》を持ったまま驚く気色もなく面《おもて》をあげた。——浅黒く引緊《ひきし》まった頰《ほお》、澄んだ眸子《ひとみ》、高く広い額と濃い眉《まゆ》。

「到頭みつけたか」

静かに微笑しながら、「意外なところで対面するなあ」

「立て、立ち居《お》れ」

若い武士は刀の柄《つか》に手をかけて、「父の敵《かたき》、尋常に勝負せい」

「父の敵……それは少し違うぞ」

十次郎は低い声で、「曽根《そね》、まあ聞け、貴公の父藤左衛門殿を討ったのは事実だ、併《しか》しあれは向うから仕掛けた勝負で、その場に居合せた者にはよく事情が分っていた筈《はず》だ」

「ええ黙れ」

曽根欣之助《きんのすけ》はうわずった声で叫ぶ、「この期《ご》に及んで言訳が通ると思うか、理非は仮令《たとえ》どうあろうとも、討たれた父の仇《あだ》は仇、——そのために二年この方、妹と共々苦心を重ねて捜して来たのだ」

「妹——？　あれは夏江どのか」

十次郎はちらと、向うに顫《ふる》えながら身構えている娘の方へ眼《め》をやった。

——欣之助は苛《いら》だって詰寄り、

「立て、立て栖崎」

「待てよ、まあ待てよ」

十次郎は総立ちになった乗合の客たちの方を見て、「飽くまで勝負しろと云うなら、致し方がない、勝負しよう——が、此処ではいかん、若《も》しも乗合の方々に怪我《けが》があっては気の毒だ、船が大坂へ着くまで待て」

「逃げる気だな」

「見張って居たらよかろう。——さあ、そう定《きま》ったら船の中だけ昔の友達になって呑もうではないか、一盞《いっさん》やらぬか」

十次郎が差出す盃を、

「貴様の酒が呑めるか」

と欣之助は吐き出すように、「大坂へ着いたとき卑怯《ひきょう》なまねをするなッ」

と云うと憎々しげに睨《にら》み据《す》えて妹の方へ戻って行き、荷物を持って夏江を急《せ》きたてながら再びおもてへ登ってしまった。

「親爺《おやじ》に似て、頑固《がんこ》な奴《やつ》だ」

十次郎は呟《つぶや》いて再び盃を取上げた。

併し、もう酒も旨《うま》くない、――二三杯呑むと十次郎は大剣をひきつけて、ごろりと横になった。船の揺れが段々ひどくなって来た。

二

栖崎十次郎は高山藩で百五十石《こく》を取っていた。江戸詰の馬廻《うままわ》りで若いに似合わず思慮が深く、朋輩《ほうばい》のあいだにも人望があったが、二年前の端午の節句の宵《よい》に、ふとした事から留守居役頭《がしら》の曽根藤左衛門と口論になり、仕掛けられてやむなく抜合せた結果、遂《つい》に相手を斬《き》ってしまった。

理窟《りくつ》は十次郎の方にあったが、上役を斬ったとなればそのままでは済まぬ、朋輩がすすめるに任せて十次郎は藩を立退《たちの》いた。――欣之助とは二つ違いで、少年時代から普通につき合って来たし、夏江ともしばしば会って話をしたことがある、……それが今は敵同士となって同じ船に乗合せているのだ。

「奇妙だなあ、人の運というやつは。つまらぬ口論から一人が死に、そのために三人の人間が命を狙《ねら》い合わねばならぬ、己《おの》れが生きるためには欣之助と夏江を斬るより外にないし、二人を生かすためには己れが……」

そんな事を回想しながら、酔いが出たのであろう、いつか十次郎はうとうとと眠りこんでしまった。

一刻《いっとき》ばかりも経《た》ったであろうか、けたたましく罵《のの》り騒《し》ぐ声に、ふっと十次郎が眼を覚ますと、胴間はいつか乗合の客でいっぱいになり、いずれも顔色を変えて何か叫びあっている。――十次郎は身を起した。

「何か起ったのか」

「えらい事になりましたよ」

商人風の男が振返った、「急に疾風《はやて》がやって来ましてな、船はいま物凄《ものすご》い勢いで流されています、ひどく波をかぶりよりますぜ」

十次郎は曽根兄妹はいるかと、伸び上って見廻したが、二人の姿はそこに見当らなかった。船はひどく揺れていた。甚《はなは》しい時には坐っている者までが片側へ倒れるほど傾き、隅に積んであった荷包が崩れてごろごろと右へ左へ転げた。

「潮岬《しおのみさき》というのは通り過ぎたか」

「どうしまして旦那《だんな》」

男は色の失《う》せた唇《くちびる》をなめなめ、「一刻ばかり前に、ちらと西の方へ見えたっきりで、それからこっちずっと南へ流されどおしです、どうも是《これ》はとんだ事になりそうですよ」

十次郎は立上って、揺れ動く床を一歩々々踏みしめながら、梯子口を登っておもてへ出てみた。——なる程恐ろしい有様だ。空には不気味な雨雲がいっぱいにひろがり、風にひき千切られて飛礫《つぶて》のように、海面とすれすれの低さを飛んでいる。海はどす黒くなって凄《すさ》まじいうねりを盛上げ、船の周囲へうち当って泡立《あわだ》ち騒いでいる。——船夫《かこ》たちは甲板のうえを縦横に駆け廻っては、綱を緊めたり船具を縛りつけたりしていた。

十次郎は帆柱の蔭《かげ》に、曽根兄妹がかがんでいるのをみつけたので、物に摑まりながら近寄って行き、

「曽根、中へ入ったらどうだ」

と呼びかけた、「飛沫《しぶき》で濡《ぬ》れてしまうぞ」

併し飛沫どころではなかった、十次郎の言葉が終らぬうちに、左舷《さげん》へ山のような波が襲いかかり、凄まじい響きと共に、どーと甲板に崩れ込む、それを真向《まとも》に浴びて欣之助と夏江が押倒された、——十次郎は驚いて、

「危い！」

と叫びながら走り寄って二人を援け起す。同時に船は左舷へ、ぐぐっと烈《はげ》しく傾き、たち直ったと思うまもなく再び船首を怒濤《どとう》の横腹へ突込んだ。その刹那《せつな》、

「ひー！」

と云う悲鳴が起ったので振向くと、船夫が二人海上へ拋《ほう》り出され、手を振りながら浮きつ沈みつしている、十次郎は咄嗟《とっさ》に夏江を抱え、

「曽根、早く中へッ」

と叫びながら梯子口の方へ引返す。その足下で、ぴしー！　と耳をつんざく響きがしたと思うと、舷側がひき裂けて腰きりの波が奔流のように甲板へ殺到した。

「お兄さまーッ」

「夏江、だ、大丈夫だぞ」

波に押流されまいとして、十次郎を中に兄妹は手を握りあい、懸命に踏み耐《こら》えながら、ようやく梯子口へとびこんだ。

「お客さまがたよ――」

船頭の悲しげな声がした、「お念仏をたのみますぞよ――」

そして暗い胴間のなかに、絶望的な念仏唱名の声が起った。

寛文三年四月の大暴風雨は、年代記にも特筆されている猛烈なもので「前後三日些《いささ》かも歇《や》まず、漁舟の覆《くつが》えるもの無数、南海沿岸の家多くは倒壊して、全きもの一屋も無し」と記されてある。陸地でさえそうであったから、海上の有様は想像に難くあ

るまい、――それから半刻と経たぬうちに、西海丸は帆柱を吹折られ両舷を砕かれ、更に舵《かじ》を失って南へ南へと漂流し始めた。

三

日暮れがたのことであった。

胴間の人いきれに胸苦しくなった十次郎が、外の気を吸おうとして梯子口へ足をかけた時、上から恐ろしい勢いで水が雪崩《なだ》れ込み、同時に船は竜骨を砕きながら右へ顚《てん》覆《ぷく》した。

「きゃーーッ」

と云う喉《のど》を劈《つんざ》くような悲鳴、

「助けて呉《く》れーッ」

「わあー」

ぞっとするような喚《わめ》きの中に、十次郎は船腹へ体を叩《たた》きつけられたが、そのまま曽根兄妹の方へ戻ろうとする、――上から、猛烈な力で波が押しかかり、船を引裂いてあらゆる物を混沌《こんとん》の渦《うず》へ巻込んでしまった。

ぐるぐると揉《も》みあう木片や箱を、踏みのけ突きのけながら、ようやく海面へ浮びあ

がった十次郎は、二三間さきを流れてゆく大きな船腹の破片と思われる板をみつけ、必死に追いついて取縋《とりすが》った。――同時に、

「栖崎……妹を」

と云う声がするので、はっとして振返ると、曽根欣之助が片手で妹の体をつきあげるようにしながら漂っているのをみつけた。

「よし、行くぞ」

十次郎は手をあげて、「夏江どのを放すな、しっかり支えて居れよ!」

と呼びかけつつ、懸命に水をけって泳ぎつき、押放すように大板を進めた。欣之助はそれを摑むと同時に、もう気を失っているらしい夏江の体を板の上へあげようとする。

「半身で宜《よ》いぞ、全身乗せると波をかぶった時に覆える。――よし、その手をこっちへかせ、貴公胸を支えておれ」

十次郎は力を合わせて夏江の半身を大板の上へ俯伏《うつぶ》せにもたせかけた。

それから苦闘が始まった。生き残った者は三人だけらしく、海上は見渡すかぎり一物もなかった。怒濤は疾駆する雲まで届くかとばかり奔騰《ほんとう》し、泡を嚙《か》んでもみあい、雷のように轟《とどろ》きながらまっしぐらに崩れては盛り上る。烈風に吹き払われた飛沫はそ

のまま潮けぶりとなって、濃霧のように海面を閉し、条《しま》を描きながら北へ北へとなびいた。

波をかぶる度に大板の上から押流されようとする夏江の体を揺りあげ押上げする一方、十次郎は既に精根のつきた欣之助がともすれば気を失いそうになるのを、

「曽根、確《しっか》りするんだ」

と叱《しか》りつけるように、「こんな事に参るようでどうする、気を慥《たしか》にもつんだ」と励声《はげま》して叫んだ。――それを聞くと欣之助は大きく眼を瞠《みひら》き、唇を嚙みながら喘《あえ》ぐのだが、すぐにまた腕の力がぬけてがくりと沈みそうになる。

「見苦しいぞ、欣之助」

「…………」

「貴様、父の仇をどうする、敵を討たずに死んでいいのか、栖崎十次郎は此処に生きているぞ、曽根」

「妹を……妹を頼む」

欣之助は苦しげに、「己《おれ》はもう力がつきた、妹だけは助け度《た》い、出来るなら、夏江を助けてやって呉れ」

「くそッ、弱音を……」

ぐたりとなる欣之助の方へ、つと片手を伸ばした十次郎、相手の乱髪をひっ摑んで、

「それでも武士か、曽根、曽根ーッ」

と喚きながら、ぐいぐい小突いたが、欣之助は海松《みる》のようにくたくたと揺れながら、ずぶりと波の中へ沈みこんだ。十次郎は咄嗟に摑んだ髪毛を手許《てもと》へ引寄せ、片手で欣之助の脇《わき》を抱えると顔だけ水面に押上げ、襲いかかる濤《なみ》を乗越えながら夏江と反対の側へ廻って、失心した欣之助の体を半身だけ大板の上へ俯伏せに押上げた。

それからどのくらい刻《とき》が過ぎたろう。十次郎は人間に与えられた力と精根のある限り頑張《がんば》った。休むまなく襲って来る怒濤から兄妹を護《まも》り、しだいに尽きて来る自分の体力と闘いながら、絶望の海を——到底救い手の望まれぬ海を押流されて行くのだ。

言葉では表現しようのない恐ろしい刻が過ぎて——朝が来た。

「ふしぎな運命だ……」

全身が痺《しび》れるような睡魔を感じはじめて、十次郎は強く頭を振りながら呟いた、

「己の命を狙う兄妹を、狙われている己がこうやって命懸けで助けようとしている。——これで三人とも助かるとしたら……」

雲の一部が切れて、強烈な太陽の光が暗澹《あんたん》たる海上を鋭く照しだした。そして水平線のあたりにくっきりと島の影を描いた。

「あ！」

十次郎は垂れさがってくる重い目蓋《まぶた》を、くっと大きく瞠きながら、「島だ！」と叫んだ。――併し再びたしかめるまもなく、雲が太陽を閉じ、島の影も消えた。

四

欣之助は誰かに呼ばれるように思った。

それから余程暫《しばら》くして後、小鳥の鳴く声をかすかに聞き、爽《さわや》かな微風が耳許を吹いているのを感じられた。

「その火を消さぬようにして下さい」

「何処《どこ》かへいらっしゃいますの？」

「椰子《やし》の実を採って来ます、――欣之助殿に陽《ひ》の当らぬように注意して」

「はい……」

誰かの遠ざかって行く足音がする、――ひどい暑さと、強い潮の匂《にお》いのなかに、欣之助は段々意識の甦《よみが》えるのを覚え、やがて悪夢から醒《さ》めるようにふっと眼を明いた。

「あ、お兄さま」

妹の声がした、「お気がつきまして？」

「む……」

欣之助は重い頭を振向けた、夏江の白い健康な顔が近々と覗《のぞ》きかかっている。——欣之助は粘りつく舌を二三度動かして後、

「どうしたのだ」

と嗄《しわが》れ声で訊《き》いた、「まるで夢を見ているようだ、おれ達はどうなったのだ」

「助かったのです。栖崎さまのお蔭で三日まえにこの島へあがったのですわ」

「栖崎……」

欣之助はぎょっとした。——卒然として幻想がくりひろげられた。鳥羽で乗った船、敵との思いがけぬ邂逅《かいこう》、暴風、怒濤、難船……そして大板に取縋って漂流した恐ろしい幾刻。自分はあの時、十次郎に妹を托《たく》して海中へ沈んだと思っていたが。

「この島へあがるのはわたくしも知りませんでした。気がつくと栖崎さまが火を焚《た》いて、わたくし達を介抱していて下すったのです、——それから今日まで、お兄さまは死んだように眠っていらしったのですわ」

「全体、此処はどこなのだ」

「まるで分りませんの、なんでもお国から余程遠いところらしいのです、何方《どちら》を見ても島も陸も見えず、この島も無人島だと栖崎さまがおっしゃって居られました」

欣之助は絶望しながら四辺《あたり》を見廻した。——そこは海から二十町あまりも斜面をあがった疎林《そりん》のなかであった。ついぞ見たことのない樹《き》（椰子樹《やし》であった）がすばらしい高さで青空へ伸び、びっくりするほど大きな歯朶《しだ》類や、毒々しい花を咲かせた蔓草《つるくさ》がむぐらをなし、ところどころに檳榔樹《びんろうじゅ》や竜舌蘭《りゅうぜつらん》のような植物が逞《たくま》しく生い茂っている。——欣之助はさんさんと照り輝く日光に眼を細めながら、暫くは驚きを抑えかねたまま四辺の珍しい風景に見入っていた。

「やあ気がついたな」

そう云いながら、椰子樹の間を大股《おおまた》に十次郎が近寄って来た、見ると両腕いっぱいに、大きな胡桃《くるみ》の実のような物（椰子の実であった）を抱えている。

「気分はどうだ」

「かたじけない」

欣之助は肉親の兄に会うような、強いなつかしさと信頼を籠《こ》めた眼で見上げながら云った。「頭が少し重いだけで、気分はさっぱりしている。——兄妹ふたりが、貴公のおかげで命を拾った、何と礼を云って宜いか……」

「礼はお互いだよ」

十次郎はどっかと木蔭に坐って、「貴公たちがいなかったら、拙者もあの時参っていたに違いないのだ。こんな所へ流れ着いて……どうなるか分らぬが、兎《と》に角《かく》こうして命を永らえたのは何よりだ」

「無人島だそうではないか」

「全部見て廻った訳ではないが、どうやらそう思われる。なに、併しそのうちに沖を船でも通ったら呼び止めるさ」

十次郎は元気な声で、

「夏江どの、その脇差を取って下さい」

「はい」

夏江の取って差出すのを、きらりと抜いて椰子の実の角へ押当てた。欣之助は不思議そうに見やって、

「それは何だ」と訊く。

「是か、是は椰子の実だ。己も現物は初めてだが、ものの書では度々見ている。南蛮、呂宋《ルソン》の境に成長するというから、恐らくこの島もそれに近いのであろうよ」

「南蛮……呂宋？」

欣之助は世界のはてへ突放されたような暗い気持に落ち入り、譬《たと》えようのない寂し

さと苦痛を感じながら眼をつむった。

「さあ呑《の》んでみるが宜い」

十次郎は巧みに割った椰子の実の殻《から》を、そう云いながら差出した。欣之助が見ると、白い不気味な果肉の中に、半透明の液が溢《あふ》れるように溜《たま》っている。

「いや、拙者は要らぬ」

欣之助は気味悪そうに頭を振った。

五

併し、まもなくすべてに馴《な》れた。

椰子の実の汁も吸い、脂《あぶら》の強い果肉を食い、芭蕉《ばしよう》の実（バナナであろう）も貪《むさぼ》り、海へ出ては見知らぬ貝、珍しい体色をした魚などを採って、干したり焼いたりして食べた。

「どうだ、結構住めるではないか」

十次郎は元気な顔で、「食物は有り余っているに、窮屈な勤めはないし、これで酒でもあると極楽浄土だがのう」

「ほんとうに」

夏江は頓《とみ》に陽やけのした頬《ほお》を、はちきれるような健康な笑いで崩しながら、「まるでわたくし、生返ったような気が致します。なんだか此頃《このごろ》手も足も伸びるようですわ」

「如何《いか》にも見違えるようになられた」

十次郎はふと夏江の方を見たが、薄着をしている娘のやつくちが明いて、張りきった乳房がくっきりと白く覗いているのをみつけ、思わず胸のときめくのを感じながらそっと眼を外《そ》らした。

ひと月ほど経った。

その頃三人はひどい寂しさに襲われ始めた。郷愁というものであろう、故郷の山河、知己の俤《おもかげ》が絶えず幻のようにつき廻って、到底そこへ帰ることが出来ないという絶望が、不断に胸を緊めつけるのだ。

夜であった。欣之助は疎林の中に枝を組合せて造った小屋で、ひとり仰向きに寝転んだまま幾度となく、

「ああ！」

と堪《たま》らなそうに呻《うめ》いた。

「みんなどうしているだろう、お庭の菖蒲《しょうぶ》も終ったろうし、藤も散ったろうな。……

槙村《まきむら》のやつは根岸の妓《おんな》にうちこんでいたが、あの妓は己に好意をもっていたのだ」

骨へしみ透《とお》るように酒の香が思い出され、妓の肌《はだ》のぬくみや髪油のむせるような匂いが、まざまざと欣之助の官能を呼び覚ました。

「帰りたい、どうかして一度帰りたい」

欣之助は悩ましげに寝返りをうった。

その頃、十次郎は入江の方にいた、汀《みぎわ》に石で囲いを造り、そこへ魚を呼込むために小貝の肉を撒《ま》いて置くのである。海の方から静かな微風が吹き寄って小波《さざなみ》をたて、どこか林の奥の方で夜鳥の鳴く声がする……石を運びながら十次郎が振返ると、夏江は汀に坐ってぼんやりと星空を見上げていた。

「どうしたのです」

十次郎は足を止めて、「餌《えさ》はもう作ってしまったのですか」

「…………」

夏江はこちらへ振向いたけれど、答えようともせずに燃えるような眼で十次郎を睨《にら》みつけた。

「一体どうしたのです、そんな顔をして、――何かお気に障りましたか」

「構わないで下さい」

夏江は不機嫌《ふきげん》に叫んだ、「何も彼《か》も厭《いや》です。餌をつくって、魚を漁《すなど》って、それがなんになりましょう、どうせわたくし達は望みのない体なんですわ、こんな物……」と云うと、転げている餌用の小貝を掴《つか》んでばらばらと海へ投げ始めた。

「何をするッ」

十次郎はかっとなって、「馬鹿《ばか》な……」

と思わず走り寄って夏江の手を掴んだ。夏江はすっと立つや、

「放《ほう》っておいて下さい、何をしようとわたくしの勝手ですわ、なぜ……」

「止《や》めなさい」

尚《なお》も足をあげて貝を蹴散《けち》らそうとする夏江の体を、「何という乱暴をするのです」と云いながら引寄せると、夏江は裂けるように何か喚きながら、いきなり十次郎の体へつきかかって来た。思いもよらぬ相手の乱暴に、十次郎も前後を忘れて身をひらきざま、ぐいと娘の腕をとって、力任せに肩を抱緊《だきし》めた。夏江は一瞬、野獣のように喘ぎながら、緊めつける腕から身をのがれようと藻掻《もが》いたが、すぐに全身の筋が痺《しび》れてゆくのを感じ、ぐったりと男の胸へ倒れかかると堰《せき》を切ったように、

「ああ！」

と呻いて啜《すす》りあげた、「どうかして……どうかなすって下さい、わたくし気が違い

そうになります」

男の胸へ頰をすりつけながら、夏江は狂おしく叫んだ。

十次郎はくらくらと眩暈《めまい》を感じた。――果実の熟れるような、甘酸《あまず》っぱい女の匂いが鼻をうち、抱緊めた弾力のある柔らかい肌から、燃えるように熱い血のぬくみが伝わって、痛いような神経の酔いが体中にひろがってゆく、――十次郎は我知らず、

「夏江……」

と低く叫びながら、娘の体を抱きあげようとしたが、その刹那にふいと、

(敵同士だぞ!)と囁《ささや》く声を聞いた。

十次郎は水を浴びたように立ち竦《すく》み、夏江を抱えた手をふりほどくと夢中で椰子の林の方へ走り去った。

## 六

それから十次郎の様子が変ってしまった。

向き合っている時でも絶えず黙りこんで、欣之助が話しかけてもろくろく返辞をせず、殊《こと》に夏江の眼を避けよう避けようとする。――三人そろって漁りをするような場合には、きまって一人遠くへ離れていた。――そして暫くすると、ふいに――山の中

腹へ別に小舎《こや》を作ったからと云って、自分だけ一人で其方《そちら》へ移って行ってしまった。

「どうなすったのでしょう」

夏江は気遣わしげに、「何かお気に召さぬことがあったのでしょうか」

「別にそんな事もあるまいが」

と云いながら、併《しか》し欣之助には思いあたることがあるような気がした。――そして或《あ》る日、海辺へ出た時に十次郎をとらえて、

「栖崎《すざき》――」

と静かに云った、「若《も》しや貴公は、まだあの事を気にかけているのではないか」

「何を――？」

「敵同士ということだ。若し……」

と欣之助は躊《ため》らいながら、「思い切って云うが、若しそうなら止めて呉れ、拙者はもう敵討などと云うことは考えてもいない。あの漂流の時に一度死んだ体だ、命を助けられた恩こそあれ、貴公を憎む気持は些《いささ》かも残ってはいないのだ」

「そうか。だが……」

と云いかけて、十次郎はぐっと言葉をのみ、苦しそうに微笑しながら、「そんな事はなにも、今ここで定めるにも及ぶまい、拙者が小舎を別にしたのは、別に含むこと

がある訳ではなくて、船の通るのを見張るのに便利だからだ、気にかけないで呉れ」

何気なく云って十次郎は立去った。

十日ばかり過ぎた一夜、夜半と思われる頃であった、静まりかえった夜の空へ、突然ぱあっと真紅の光がみなぎったと思うと、どどどと云う凄《すさま》じい地鳴りの音に夢を破られ、夏江と欣之助はびっくりしてはね起きた。

「何でしょう……？」

「ばかに外が明るいようだな」

呟《つぶや》き合った時、ざあっと周囲の樹立《こだち》がざわめき、大地が波のように揺れはじめた。

欣之助はいきなり夏江の手を摑んで、

「地震だ、外へ出ろ」

「お兄さま！」

呼びあいながら小舎を出る、四辺をこめる光にふと振返ると、西北の水平線を割って、眼の眩《くら》むようなすばらしい火柱が、高く高く天に届くばかり噴き上っていた。

「怖い、どうなるんでしょう」

夏江は身を顫《ふる》わせながら兄の体へ縋《すが》りついた。欣之助も夢中で、

「栖崎のところへ行こう」

と夏江を援《たす》けながら走りだした。——併しふたりが山へかかるまえに、栖崎十次郎が上から駆け下りて来て、

「大丈夫だ、大丈夫だ」

と大声に叫んだ。夏江はその声を聞くと、一時に心の落着くのを覚え、烈《はげ》しい、ふしぎな愛着と恐怖のいりまじった情熱に巻込まれながら、

「栖崎さま」

と叫んで十次郎にすり寄った、「何でしょう、わたくし怖くって胸がこんなに」

「大丈夫ですよ」

十次郎はそっと夏江から離れながら、「海の中で火山が爆発したのです。事によると津波がくるかも知れませんから、今夜は上でおやすみなさい。——大した事はないでしょう」

「まあ火山……」

夏江は顫えながら十次郎を見上げた。——噴火の光に照された逞しい男の頰、盛り上った肩の筋肉、夏江はふいに、あの夜抱緊められた強い力と男の体のぬくみが、全身に甦ってくるのを感じて、思わずさっと赤くなりながら太息をついた。——その間にも絶えず地は震い、凄じい鳴動と潮鳴りの轟《とどろ》きが伝わって来た。

噴火は五日ほど続いてやんだ。

気遣っていた津波もそれほどのことはなくて、水が十尺ばかり高くなったが噴火のやむと同時に元通りになった。それから半月あまりというもの海が灰色に濁り、夥《おびただ》しい軽石が毎日浜へうちあげられたが、やがて水も澄み石の流れも止まると、島はまた以前のように静かな朝夕を迎えはじめた。

一年余日が経った。――その間に二度ばかり遠い沖を帆影の通るのを見たが、此方《こちら》で振る布は眼に入らなかったとみえ、いずれもそのまま通り去ってしまった。西北の水平線には、毎日白い煙がたち昇り、夜になると空がぼうーと赤く彩《いろど》られたけれど、その後ずっと噴火もせず、ときどき低く地鳴りを伝えるだけで、何の変化もない日が続いて行った。

七

南風の強く吹く日であった。

午後になって十次郎が、密林の中へ木の実を採りに入ると、暫くして欣之助のけたたましく呼ぶのが聞えた。

「おーい、船だ、船だ」

はっとして見返ると、山の中腹に立って狂気のように手足を振りながら、「船が来た、早く、早く来て見ろーッ」

「船が来た？」

十次郎は採った木の実をそこへ拋《ほう》り出し、身を飜《ひるが》えして走りだした。

船だ船だ、山の中腹まで登って行くと、夏江が懸命に布切を振りながら、沖を指して夢中に、

「御覧なさいませ、あそこに船が、そら此方へ舳先《へさき》を向けましたわ」

「おーい、おーい」

欣之助も雀躍《こおどり》しながら喚きたてた。

十次郎も見た、五百石あまりの船が、満帆に風をはらんで今此方へ船首を変えている。合図の布切をみつけたのであろう、舳先に人が立って小さな手旗を振っているのが見える。

「助かるぞ、もう大丈夫だ、己達は助かるのだ、栖崎、みろ此方へ来る、船が此方へやって来るぞ」

「十次郎さまッ」

夏江は嗜《たしな》みも忘れて、とびかかるように十次郎の手を摑み、強く烈しくうち振った。

「わたくし達は故国へ帰れますのね、もうこの島にいなくても済みますのね」

「浜へ下りていよう」

十次郎は夏江の手を振り放した。

船は三人を焦《じ》らすように、極めて徐々に近づいて来たが、浜から三町ばかり沖へ来ると船足が止まってしまった。

「どうしたのだ」

欣之助がどきっとして呟くと、——船首に立っていた男がよく通る声で、

「おーイ」

と叫ぶのが聞えた、「潮が速くて小舟が下ろせないんだ、明日の朝満潮になるのを待って行くから、それまで待っていて呉れろ」

既に日暮れ近くで、落潮《おちしお》の烈しい刻になっていたから、岩礁《がんしよう》の多いこの磯へは危くて近寄れないのである。——船が南側の入江になっている方へ廻って、錨《いかり》をおろすのを見届けてから三人は小舎へ帰った。

欣之助も夏江もすっかり浮き浮きしていた。焼いた魚と椰子の実の夜食も、これが最後だと思うと云いようのない懐《なつか》しさを覚え、そのなつかしさは直ぐに故郷の幻想をよびさますのであった。——併し兄妹は、夢のような喜びに酔って、十次郎がいつか

深い憂《うれ》いに沈んでいるのには気がつかなかった。

「どうしたのだ」

欣之助はさっきから黙っている十次郎の方へ向いて、「ばかに浮かぬ顔をしているが、気分でも悪いのか」

「ほんとうに、お顔の色が悪うございますわ、どうなさいまして……？」

「いや、何でもない」

十次郎は無理に笑って、「助かったと知れたら急に胸がつかえてしまって、喜んで宜いのか悲しんで宜いのか分らない気持がする」

「全くだ、まるで夢のようだ」

「ああ早く朝になると宜いが、——あの船へ乗って、帆がいっぱいに巻上ると、もう故郷へ帰ったも同じことねえ」

「直ぐだ、もう直ぐだぞ」

欣之助もはずむような声で、「この島もいよいよ今夜限りだ、ああすばらしいなあ」

十次郎は静かに立上った。夏江が驚いたように振り仰いで、

「何処《どこ》へいらっしゃいますの」

「小舎へ行くのです」

「冗談じゃない、今夜は三人揃《そろ》って此処で語り明かそうではないか」

「いや」

十次郎は微笑しながら、「今夜きりだから行くのだ、折角ながい間世話になった小舎だ、今夜はゆっくり別れを惜しむとしよう」

「併し……」

「おやすみ」

十次郎は夏江の眼を昵《じっ》と覓《みつ》めて、「明日は多分早いでしょうから、夜更《よふか》しをせずにおやすみなさい、――曽根、拙者は寝坊だ、もし起きて来ないようだったら頼むぞ」

「それは心得たが、併し本当に……」

「じゃあ、又あした」

そう云って、もう一度夏江の眼を強く覓めてから、十次郎はくるっと踵《きびす》をかえして外へ出て行った。夏江がうしろから労《いた》わるように、

「おやすみなさいませ……」

と呼びかけたが、十次郎の返辞はなくて、草を踏んで行く足音がしだいに遠くなり、やがて林の彼方《かなた》へ消えてしまった。――夏江はじっと黙ったまま、夜鳥の啼《な》く声に耳を傾けていたが、やがて襲われるような不安が胸いっぱいに溢《あふ》れてくるのを感じて、

「お兄さま」

と低く云った、「栖崎さまの御様子がなんだか気懸りでなりませんけれど」

「変だ、いつもの栖崎とは別人のようだ」

「何か不吉なことがあるのではないでしょうか、わたくしひどく胸騒ぎが致しますわ、お一人で置いて大丈夫でしょうかしら」

「心配する程のこともあるまいが」

そう云ったが、欣之助もなんとなく落着かぬ気持だった。ごーという低い地鳴りがして、西北の空の赤さが一瞬濃くなった。またしても小さな噴火があったらしい。ぶきみな鳴動を聞くと、ふいに欣之助が立上って、

「なんだか気になる」

と呟くように、「ちょっと行って栖崎の様子をみて来るぞ」

「わたくしも」

「いや一人の方が宜い」

そう云って欣之助は小舎を出た。

いつもより烈しい噴火とみえて、火柱こそ見えなかったが四辺は薄明のように明るかった、欣之助は不安に追われるような気持で林をぬけ、足にまかせて山の中腹まで

一気に登って、岩蔭にある十次郎の小舎のまえに近寄った。

「栖崎……」

欣之助は表から声をかけたが、十次郎の答えはなくて、低い呻き声が聞える。

「栖崎、どうかしたのか」

と云いながら小舎の中へ入ると、ぷんと鼻をつく血の匂い、ぎょっとして様子を窺《うかが》うと、小舎の中央に端坐して十次郎がみごとに切腹していた。欣之助は仰反《のけぞ》るばかりに驚いて、

「や！　こ、是《これ》は」

と走り寄る。十次郎は苦痛の呻きをもらすまいとするのであろう、歯をくいしばりながら、「騒ぐな、曽根……」

と強く制した。

「来る時が来たのだ、首を討て！」

「早まったな栖崎、己は、己は仇討を断念したと云ったではないか、討って宜いなら疾《とっ》くに討っている、今になって何のために」

「狼狽《うろた》えるな」

十次郎は歯のあいだから叫んだ、

「この、この島に住んでこそ、恩讐《おんしゅう》の外に生きられるのだ、この……孤島には束縛はない、が、——故郷には秩序がある、動かし難い枷《かせ》があるぞ、故国へ帰って貴公たちの生きる道は、藩へ帰参をするほかに術《すべ》はあるまい、藩へ帰参するためには、父の敵を討たねばならぬ、それが分らぬ貴公か」

欣之助はそこへ崩れるように坐った、十次郎は肺腑《はいふ》をしぼるような声で、

「己の体は藤左衛門殿の血で汚れている、その血をいま返すのだ、あのとき、大坂へあがったら斬られてやろうと思った己だ、——二年がほど生きのびて、初めて知ったよろこびもある。もうこの世に未練はない、斬れ……曽根」

欣之助は顔も上げ得ず泣き伏した。

「夏江、夏江どのを仕合せにしてやって呉れ、あの人がいなかったら……」

云いかけて、心神悩乱したらしく、遂《つい》に十次郎はがくりと前へ倒れた。そして欣之助には聞えぬ低い声で呟いた、「あの人が若し敵同士でなかったら、己は飽くまで生きたかも知れぬ」

ぶきみな地鳴りが伝わって来た。西北のかた遠く、ぼうーと赤いかがりが、十次郎を弔うかのようにたちのぼった。

（「雄弁」昭和十年八月号）

# 非常の剣

一

「叔父上、吉報でござる」

刀を右手にずかずか入ってくる弦八郎《げんぱちろう》を、棋兵衛《きへえ》は苦々しげに見やった。

「挨拶《あいさつ》もせずに何だ、諺《ことわざ》にも『吉あれば必ず凶あり』と申して、なにも吉報だからといって騒ぐことはない」

「お口癖の諺も今日だけはそっちへ納めておいて頂きましょう、実は洲《す》ノ鼻の番所頭《がしら》に任ぜられました」

「――誰が……?」

「無論私です」

棋兵衛はくすんと鼻を鳴らした、それから二三度空咳《からぜき》をしたり肩を揺すり上げたり、甥《おい》の出世などは屁《へ》でもないという風を装ってみたが、顔の筋は遠慮もなくほぐれてくる。

「御達《おたつし》の下ったのが三日前、今日でようやく事務の引継ぎを終ったところです、お役料百石《こく》増しですよ」

「それで、その……なんだろう、又なにか褒美《ほうび》でもねだるつもりだろう」

「弓江《ゆみえ》どのを嫁にください」

「そうれ、多分そうくるだろうと思っていた、ならぬ、駄目《だめ》だぞ」

「何故《なぜ》ですか、許婚《いいなずけ》になってから一年、私もようやく番所頭という人並のお役に就いたのですから、もう妻を娶《めと》ってもいい時だと思います、お許しください」

「いかん、番所頭といえば大役、殊《こと》に洲ノ鼻は密貿易《ぬけに》の問題でやかましい場所だ、お役が勤まるかどうか分りもせぬのに、就任早々嫁の事など考える奴《やつ》があるか、諺にも『一年に再び実る樹《き》はその根必ず傷《やぶ》る』と言ってな、一時にそうあれもこれもするものではない」

「叔父上のように何から何までそう諺で定《き》められては敵《かな》いません」

「ばかを言え、諺は幾百幾千年を経て人口に伝わるものだ、万巻の経典にも勝る真理がある、とにかくお役専一に勤めろ、そのうち何か手柄《てがら》でもたてて立派に番所頭が勤まるようだったら式を挙げてやる、それまでは駄目だぞ」

根上《ねがみ》棋兵衛は島原藩で五百石取の馬廻《うままわ》り、武辺一徹の頑固《がんこ》親爺《おやじ》であった。関ヶ原、大坂両陣に眼覚《めざま》しい手柄をたて、主君松倉右京太夫《まつくらうきょうだゆう》から伝家の鎧《よろい》一領を賜ったが、今は全く閑職にいて、時々のこのこ現れては若い者を叱《しか》りつけたりするくらいが楽しみ、何かひと言言う度に諺を持出すので、『諺の棋兵衛殿』と綽名《あだな》をつけられている。

――弦八郎は叔父の気性を呑込《のみこ》んでいるから、これ以上ねだっても無駄だと思った。

「では、今日はこれで失礼致します」

「現金な奴だな。まあ待て、婆《ばあ》さんが帰ったら心祝いに何か馳走《ちそう》をしよう、夕飯を喰《た》べて行くがいい」

「いや、今夜井染橋の満須屋《ますや》で同役たちが祝宴を催してくれる事になっているのです、まあ役向きの顔つなぎというところでしょう。――弓江どのは……?」

「婆さんと一緒に寺へ行ったぞ」

「では叔母上にも宜《よろ》しく」

立上ったが、ふと振返って、「ああ、叔父上はいま『吉あれば凶あり』とおっしゃいましたが、あれは『吉あらば今日なり』という意味ですよ、お間違いのないように」

「こいつ――待て、弦八郎」

弦八郎はどんどん逃げ出した。

二

座はわき立っていた。——弦八郎は吃驚《びっくり》していた。

島原の湾を前にした酒楼の広間、百匁蠟燭《ひゃくめろうそく》をずらりと並べ、南蛮風の卓に盛料理を山と積んで、十四五人の歌妓《うたひめ》小女たちが絃歌《げんか》嬌《なま》めかしく取持ちをしている。上座には藩の目附役で、番所総取締方を勤めている笹目《ささめ》元右衛門《もとえもん》、同じく次席の生田《いくた》久之進《きゅうのしん》、楢山源七《ならやまげんしち》。それに続いて田代、杵島《きしま》、油野、都井岬《といみさき》、洲ノ鼻、五番所の重立った者が居並んでいた。——なにしろ始め弦八郎の挨拶が済むと、

「さあ、皆寛《くつろ》いで無礼講としよう」

元右衛門がそう言うのを合図に、たちまち座はかくの如《ごと》く崩れてしまったのだ。

「——おい建部《たてべ》」

弦八郎は側《そば》にいる建部金吾《きんご》を小突いた。「これはいったいどうしたというわけだ。番所頭の就任祝いにしては大袈裟《おおげさ》すぎるぞ」

「まあ黙って飲めよ、これが慣例さ」

金吾は薄笑いをうかべながら外向《そむ》いた。

建部金吾は弦八郎の旧《ふる》い友達であるが、酒のために出世が後れて今では洲ノ鼻の番所で記録方を勤めている、つまり今度は弦八郎の下役になった訳だ。弦八郎の方ではこれを機会に何とか昇進の途《みち》を開いてやろうと思っているのだが、金吾の方はとかく

僻《ひが》みが出る様子で、すっぱりと行かぬところが多かった。——番所勤めも二年になるから内情も色々と知っているらしいが、どことなく歯に衣《きぬ》を着せた口振りである。

「へえ……こんな慣例があるのかな」

「いまに分るさ、色々な事がね」

冷笑するように言ったが、暫《しばら》くするとふいっと盃《さかずき》を置いて立った。

「どうするんだ」

「拙者はもうこれで失礼する」

「帰るなら一緒にしよう」

「いや、今夜は番所で泊る出役なんだ、まあ貴公はゆっくりやって行け……ああ疲れた」

金吾はもの憂《う》そうに、「酒にも、女にも、おれはもうすっかり疲れたよ、行って波の音でも聞きながら寝るとしよう」

そう言って立去った。——自ら生に拗《す》ねた友の態度を、弦八郎は悲しげに見送っていたが、やがて上座から笹目元右衛門が呼んでいるのに気付いた。

「こっちへ来ぬか」

と言われて進み出ると、いつの間にか元右衛門の側にでっぷり肥えた商人風の男が坐《すわ》っているのをみつけた。

「どうだ、愉快であろう」

「ことごとく盛大にて、面目過分に存じます」

「まあよい、堅苦しい事はぬきだ、——ちょっと紹介《ひきあわ》せを致そう。これがこの度洲ノ鼻の番所頭になった杉田弦八郎と申す者だ」

と肥えた男を振返った。商人風の男は膏《あぶら》ぎった赭顔《あからがお》の人の好《よ》さそうな笑みをうかべながら、鄭重《ていちょう》に膝《ひざ》を正して、

「手前は御当地に唐《から》荷《に》売買を営みまする灘波屋次郎吉《なにわやじろきち》と申します者、商売柄つねづね御番所にはお世話になっております、今後とも何分宜しくお願い申しまする」

「いや……」

「失礼ながらこれはいささか御祝儀まで」

次郎吉はそう言って小さな袱紗包《ふくさづつみ》をそれへ差出した、「どうぞ御笑納くださいまし」

「何でござるか、かような物を……」

「いやいや構わぬ、慣例じゃ遠慮なく取っておくがよい」

元右衛門が口を添えるので、別に差支えない物と思い弦八郎は受取って退《さが》ろうとした。するとその時、

「まあ美い男だこと」

と言いながらべたりと側へ坐った妓《おんな》があった、細面《ほそおもて》の緊《しま》った顔つき、きかぬ気らしい大きな眸子《ひとみ》、もうかなり酔っているとみえて、褄《つま》の乱れから嬌めかしい紅《あけ》のこぼれるのも構わず、弦八郎の肩へ凭《もた》れかかって、

「ねえ、そんなに堅くなっていないで、そのお盃を頂かしてくださいな」

「いや、拙者はもう……」

「まあ――お染めなすったのね、ほほほほ、そんなうぶらしいところを見せられては、いっそもう我慢ができなくなるわよ」

「これ見苦しいぞ、小光《こみつ》」

元右衛門がにやにやしながら言った。小光と呼ばれた妓はくるりと振返りながら、

「おや失礼、笹目の御前まだいらしったんですか、でも――どうお？　こうしたところはちょっと似合の夫婦でしょう……？」

腕もあらわに絡《から》みつこうとするのを、弦八郎はどぎまぎしながら引外《ひきはず》して立った、小光は慌《あわ》てて袴《はかま》の裾《すそ》を押え、

「あら、何処《どこ》へいらっしゃるの、折角お側へ来たのに逃げるとは卑怯《ひきょう》でしょう？」

「いや……その、又――」

初めての茶屋酒、殊に女などをどう扱っていいか分らぬ弦八郎は、すっかりあがり気味で自分の席へ戻った。

三

妓はすぐに追ってきて、

「駄目よ、逃げようったって逃がしゃしません、さあお盃を頂戴《ちょうだい》」

「杉田、なにをもじもじしているんだ」

側から同役の誰彼が囃《はや》したてた。「無礼講ではないか、やれやれ、貴公の祝いだぞ」

「そら御覧なさい、皆様のお許しよ」

弦八郎は仕方なく盃をやった。

「とてものことにお酌《しゃく》——あら済みません、こんな我儘《わがまま》を言ってお怒りなすった？　お蔑《さげす》みでしょうねえ」

「いや別に左様な事は……」

「ほほほほ、言訳をおっしゃらなくてもいいのよ、可愛《かわ》いい人ねえ——見れば見る程美い男だわ、なんだかこうしているだけでも躰《からだ》がぞうっとしてくる……一緒に浮気をしたらどんなだろう、迷ったわよう——杉さま」

眼を燃やしながら抱き付こうとする、弦八郎は毒気をぬかれて真赧《まつか》に頰《ほお》を染めながら振り放した。――するとそこへ、若い番士が入って来て低い声で、

「少々お耳を」

と囁《ささや》いた。唯《ただ》ならぬ顔つきをしているから弦八郎は立って襖《ふすま》の外へ出た。

「――どうした」

「恐入りますが急いで番所へお戻りください。密貿易船を押えました」

「よしすぐ行こう――舟の支度は？」

「もうお待ちしております」

就任早々の事件だ、弦八郎は酔いも一時に醒《さ》め、張切った気持で同役の者に中座の理由を告げると、急いでその酒楼を出る、そのまま入堀に待っていた四挺櫓《ちようろ》の早舟で洲ノ鼻へ向った。

島原から天草の沿岸は湾入曲汀《きよくてい》が多く、海は名うての多島海で、外海との連絡にも進退の駆引にも密貿易には持ってこいの地理である、殊に島原藩ははやくから南蛮呂宋《ルソン》と交易していて、外国船の出入りが多いから番所の眼を眩《くら》ますにも都合がよい、――それかあらぬかこの二三年来というもの密貿易船の暗躍がひどくなっていた。これ等に備えるため五ヶ所の船検番所は必死に活動し、中にも洲ノ鼻はその中心となっ

て検挙に努めたが、今まで押えたのはいずれも鼠《ねずみ》ばかりで、狙《ねら》っている大物はどうしても尻尾《しっぽ》を摑《つか》むことができなかった。

今宵《こよい》も——五番所の重立った者が祝宴に出て手薄になっている刻《とき》、大胆にも洲ノ鼻の沖のとある島蔭《しまかげ》で唐荷船が密貿易をしている現場を、見廻りに出た監視舟が発見して急を襲った結果、その一艘《そう》を押えたというのである。

「捕えたのは一艘だけか」

「は、何しろ手薄のことで都井岬へ人数を頼みにやる暇も無かったものですから、外のものは取逃しました」

「手薄を狙ってやりおったな」

話しているうちに早舟は洲ノ鼻へ着いた。すると伸び上って見た番士の一人が、

「や、船が見えぬぞ」

「なんだと——？」

「番所前に繋《つな》いでおいた密貿易船が見えません。おお、番所の燈《ひ》も消えている」

弦八郎は不吉な予感に襲われながら岸へとび上った。と——その足許《あしもと》に斃《たお》れている者がある。後から差出す舟提燈《ふなぢょうちん》の光で見ると血みどろになって絶息している番士の一人だった。

思わず一歩退る、――建部金吾は？　と弦八郎は閃《ひら》めくように呟《つぶや》きながら、

「来い、何かあったぞ！」

と叫んで、だっと駆けだした。

途中にも二人三人と倒れていたが番所へ来てみると更に惨澹《さんたん》たる有様、十五人残っていた番士がことごとく斬殺《きりころ》されている。四辺《あたり》はさながら血の海だ。――弦八郎は素早くその中から金吾の姿をみつけ出し、はっと胸を衝《つ》かれながら抱き起した、下半身ずっくり血に濡《ぬ》れて息も絶え絶えである。

「建部、建部……弦八郎だぞ」

耳に寄せて叫ぶと、金吾は微《かす》かに眼をあけ唇《くちびる》を歪《ゆが》めながら、

「丸に……丸に五だ――杉田」

「おい、確《しっか》りしろ」

「気をつけろ、ああ……不意をやられた、残念だ――」

それだけ言うと意識が昏《くら》んだらしく、ずるりと弦八郎の腕から滑り落ちてしまった。

「貴様の仇《かたき》は討ってやるぞ、建部。仇は弦八郎が必ず討ってやるぞ！」

相手の耳へ唇を寄せて、溢《あふ》れくる涙を拭《ぬぐ》いもあえず弦八郎は叫んだ。

# 四

今までにかつてない惨事である。

元来島原藩では、密貿易の罪は『重き咎《とが》』という程度で、極刑を行われる者はごく稀《まれ》だったから、捕えられれば大抵神妙に刑を受けるか、そうでなくとも身を以《もつ》て遁《のが》れるくらいが関の山、こんな思切った虐殺《ぎやくさつ》を敢《あえ》てしてまで逃げる必要はないのだった。

――急報はすぐに飛んだ。総取締方笹目元右衛門は自ら洲ノ鼻へ出向いて、五番所の役々を集め、協力して付近一帯の大捜査を断行したが、両三日にわたる努力の甲斐《かい》もなく、ついに凶徒の踪跡《そうせき》を突止めることはできなかった。

「――これは大物だぞ」

弦八郎は独り頷《うなず》いた。「奴等は是が非でも逃げなければならぬ事情があった。これだけでも今迄《いままで》の鼠賊《そぞく》共とは違う。それに……当夜は宴会があって番所の手薄を知っていた様子がある、事に依《よ》ると内通者でも――」

そう考えた時、建部金吾が「丸に五だ、気をつけろ……」と言った謎《なぞ》のような臨終の言葉を思い出した。

「丸に五――？　はて」

弦八郎は記録方から帳簿を取寄せて調べたが、出入りの船印にはそれに当るものがない。荷主や船主の屋号まで検《あらた》めてみたが、いずれも無駄であった。

「船印でも屋号でもなしとすると、何であろう。とにかく事件の錠《かぎ》は『丸に五』という中に隠されてある——よし、必ずみつけるぞ」

弦八郎は固く心に刻みつけた。

このあいだにも、叔父の棋兵衛は毎日のように、馬をとばして番所へやって来ては眼を怒らせて、

「どうだ、凶賊共の手掛りはついたか」

とどなる、「諺にも『木欒子《むくろじ》を三年磨《みが》いても珠《たま》にはならぬ』と申して、見当違いの事を幾らやっても無駄だぞ、まず見当をつけろ見当を、もうここ七日も経っているではないか」

喚《わめ》きたてて帰る、又翌日やって来て、

「今日は手掛りがあったか」

「いや、未《ま》だそこまで……」

「いつ迄まごついているのだ、『非常の剣《つるぎ》は断乎《だんこ》たる可《べ》し』と言う、『下手の考え休むに似たり』だ。まず見当をつけろ、それから断乎としてやるのだ、埒《らち》があかぬと弓江

との婚約など取消しだぞ！」

　好きなだけ罵《ののし》ると帰って行く。――弦八郎も段々あせってきた。建部金吾の臨終に……仇は必ず討ってやると言った、討つのだ、金吾の仇を討つのだ。弦八郎は自ら監視舟に乗って日夜数回、持場外まで見廻りを続けた。

　ある日の暮れがたである。見廻りから帰った弦八郎が番所へ入ってみると、中に婀《あ》娜《だ》めいた衣装の女が待っていた。

「おや、お帰り遊ばせ」

　というのを見ると、先夜井染橋の酒楼で絡みついてきた歌妓《うたひめ》の小光である、弦八郎は眉《まゆ》を顰《ひそ》めて、

「どうしたのだ、猥《みだ》りの者を番所内へ入れてはならぬという事、忘れたのか」

　番士を叱ると、妓が慌てて、

「あら、こちらがお悪いのではありませんわ、笹目の御前と一緒にお供をして、わたしだけここに残っていたんですのよ」

「お目附役が来られた？」

「例の満須屋で御同役衆と御会席をなすった戻り、洲ノ鼻の番所では先頃からの苦労つづき、さぞみんな疲れておろうから骨休めに馳走を持って行ってやろうと、若い衆

に担《かつ》がせてここまでおいでなすったんですの」

　と妓の振向くところを見ると、なるほど酒に広蓋《ひろぶた》、提げ桶《おけ》の類が置並べてある、小光は嫣然《えんぜん》と笑いながら、

「わたくしお酌をさせて頂きますわ」

　と寄添った。

五

「いや、お目附役の御馳走は、折角ゆえ有難く頂戴致すが、其許《そこもと》のお介添は番所の掟《おきて》が許しませぬ」

「掟にも裏がございましょう？　今迄にだって無い事ではありませんわ、お城下から遠く離れたこんな海端で、毎日荒いお勤めですもの、偶《たま》には……」

「今迄にもあったと言うのですか」

「笹目の御前は訳知りでいらっしゃいますからね、貴方《あなた》の前の方の時にも十日に一度ぐらいは御馳走が出て、わたしがお相手を致しましたわ、——ですから、ねえ……」

　小光は溶《とろ》けんばかりの媚《こび》をみせながら、すっと体をすり寄せてきた。

「いけません、退《の》いてください」

弦八郎はきっぱりと振り放した、「今迄はそうしたかも知れぬが拙者はお断り申す、第一いまはそんな暢気《のんき》な場合ではない、どうかすぐお帰りください」

「でもそれでは困りますもの」

「何が困るのです」

「笹目の御前に取持ちをしろと言いつかっているんです、否《い》えそれでなくってもわたし……ねえ、ではお酌だけ」

「駄目です、お帰りなさい」

妓は昵《じっ》と弦八郎の顔を覓《みつ》めていたが、やがて消え入るような太息をもらした。

「杉さまは小光がお嫌《きら》いなのねえ」

「――――」

「ああ――辛《つら》いこと……」

弦八郎は妓の咽《むせ》ぶような呟きを後に、さっさと奥へ入ってしまった。

彼の胸に沸然とある疑いが起ったのだ。笹目元右衛門は訳知りだと言う、――役目の勤労を慰めるために、時折番所へ酒肴《しゅこう》を贈るというのは、なる程上役として行届いた思遣《おもいや》りである、併《しか》し妓を相手に差添えるとは少し過ぎてはいないか……？　妓の色香と酒で酔わせ、その隙《すき》に企《たくら》む事があるとしたらどうだ。

「まさか——否《いな》。併し万一……」

弦八郎は振向いて、

「岡村いるか」

「はっ」

岡村三之丞《さんのじよう》という若い番士が来る。

「妓はまだ居るか」

「今しがた立去りました」

「よし、すぐに後を跟《つ》けろ、覚《さと》られぬようにして何処へ行くか、誰に会うか突止めるのだ、ぬかるな」

三之丞は畏《かしこま》って出て行った。——弦八郎は残った番士たちを呼んで、

「今宵は総出で見廻りをする、みんな今のうちに食事をしておけ、舟へは鉄砲を積込んで行くから」

と命じた。

みんなが食事を終り、舟の支度もできた頃に岡村三之丞が帰ってきた。暮れきった夜寒にもかかわらず汗を流している。

「首尾はどうだ」

「海端の角屋と申す酒楼へ入りました、そこがあの妓の屋形だそうで、暫《しばら》く忍んでおりましたが別に誰と会った様子も見えません」

「客は無かったか」

「はい、閑寂《ひっそり》としておりました」

笹目元右衛門が筋を引いているとすれば、吉左右《きつそう》を待っていなければならぬ筈《はず》だ、誰もいなかったとするとやはり疑ったのは誤りであったのか。弦八郎は暫く思案していたが、やがて舟出を命じて起《た》った。

果然、獲物はあった！

一刻あまり、島々を廻って都井岬の根無し島へかかると、早くも監視舟の近づいたことを知ってか、島裏から二艘の小舟が慌てて逃出すのを発見した。

「怪しい奴、追え！」

弦八郎は叫んだ、「一番二番は右へ、三番四番は前へ、五番は左へ、六番は拙者と共に後を塞《ふさ》ぐ——威《おど》し鉄砲をかけろ」
ダ、ダーン！　と銃声が海面を走った。
七艘の舟は素早く四方に別れ逃走者を追詰めながら鉄砲を撃ち掛けた。相手は始め浪切《なみきり》の方へ出ようとしたが進路を断たれて向きを変え、陸地の方へと脱走を計った、

——併し勢込んだ監視舟の追撃と烈《はげ》しく浴びせられる鉄砲に、最早《もはや》逃れぬところと思ったか、いきなり逃走者たちは二艘の舟を覆《くつがえ》し、ざんぶざんぶと海中へ身を躍らせた。

「しめた、これは大物だぞ」

弦八郎は舷《ふなばた》を叩《たた》いた、「舟を寄せろ、輪をつくって一人も余さずひっ捕えろ！」

敵《かな》わぬと見るや敢然と舟を沈め、証拠物を残すまいとした決死の遣り方、まさに鼠賊の手段ではない、逃すな！　とばかり追詰め追詰め、四半刻余りして五名の者を引上げ、捕縛して五番舟に托《たく》すと、

「よし、五番はこいつらを曳《ひ》いて先に帰り、目附役宅までお届けをしておけ」

「畏りました」

「残った舟は拙者と共に来い、根無し島が怪しい、刻を移さず捜査するのだ、続け！」

六艘は舳先《へさき》をかえした。

六

根無し島の裏に湾があった。——常磐木《ときわぎ》の鬱蒼《うっそう》と蔽冠《おおいかぶ》さっている入江の中へ、岸に添って行くと、外からは見えぬ岩蔭にぽっかりと潮入り洞《ほら》の口があいている。

「静かに、音を立てるな！」

弦八郎は制して、まず自分の舟を洞の中へ進めた。

「鉄砲の用意をしろ」

囁いておよそ三十間あまりも行くと、急に洞が右へ曲っている、そこから先は袋のように広がって天井も高く、奥には水のない岩地の足溜《あしだま》りがあって、今しも四五人の男が焚火《たきび》を囲んで酒を酌《く》み交《かわ》しているところだ。——弦八郎はしめたとばかり、続く舟を招き寄せると、

「威し撃ちをかけろ」

と囁いた。

突如！　ががーあん!!　と洞を劈《つんざ》く鋭い銃声。同時に舟はどっと奥へ殺到した。

「動くな！」

弦八郎は喚いた、「島の周囲《まわり》は既に手配りができているぞ、神妙にしろ」

「神妙にしろ、手向いすると斬り棄てるぞ」

叫び叫び舟から跳上った。不意を衝《つ》かれて仰天した男たちが、はっと気付いた時にはもう、三十余人の番士たちが白刃《はくじん》を突きつけて取巻いていた。

「貴様たちの仲間もこの外で全部捕えた、神妙にしていればお上にも慈悲があるぞ

——前へ出ろ、頭《かしら》はだれだ？」

「へえ——何でございますか……」

「とぼけるな、頭は誰だ！」

「何の事か、へえ、私等には分りませんが」

髭面《ひげづら》の太々《ふてぶて》しい奴が、何やら仲間に眼配せをしながら白《しら》を切った。——ここで問い詰めても無駄だと思ったから、弦八郎は五人の者に縄《なわ》をかけさせ、すぐに洞内の捜索をした。併し荷解《にほど》き荷造りに使ったらしい縄端や木片が散らばっているだけで、これぞという証拠の品は既に無かった。

「仕事を終えた後だな——」

舌打ちをする弦八郎に、

「ねえ、もしお役人さま」

と髭面の男が声をかけた、「あんたあ、こんな事をして後悔しますぜ」

「なんだと——？」

「私等の縄を解いておくんなせえ、その方があんたの為にも上策だ、見たところまだお若い御様子だが、血気は過《あやまち》の素《もと》ですぜ」

弦八郎は男の冷やかな笑顔を見戍《みまも》った。男の眼には明らかに侮蔑《ぶべつ》と傲慢《ごうまん》の色がある、

――弦八郎にはこれこそ狙っていた大物だという確信がついた。

「どっちが上策かはこっちで心得ている、文句があったら出る処《ところ》へ出て言え、――さあ舟へ乗るんだ」

「へっへへ、世間を知らねえね、あんたは」

髭面の男は不敵に冷笑しながら舟へ乗移った。――かくて一行が凱歌《がいか》をあげながら洲ノ鼻へ戻ったのは、すでに夜も白々と明けかかる頃だった。

弦八郎が舟着場へあがってみると、意外にもそこへ目附方の人数が来ている。

「やあ、お手柄でござったな」

と言いながら近寄るのを見ると、笹目元右衛門の下役で生田久之進、楢山源七である。これは……と思っていると、

「先刻届けを受けたので、罪人共を受取りに参った、お骨折り御苦労に存ずる」

「あいや暫く」

弦八郎は驚いて、「唯今《ただいま》引揚げて来たばかりで、まだ一応の取調べも済みません、どうかお引渡しは明日にでも願いとうござるが」

「それは成りません、番所で罪人の取調べなど例がござらん」

「併しいささか存ずる仔細《しさい》もあれば、枉《ま》げて一日だけ御猶予願います、是非――」

「お断り申す、目附役笹目殿より即刻受取って参れとの厳命で参った拙者共。それに大切の罪人を番所に留《とめ》おいて、万一先日のような事件でも起った場合には何となさるか、お引渡しください」

頑《がん》として承知せぬ、遂《つい》に十名の者と、島から押えてきた証拠の雑具を取纏《とりまと》め、さっさと番所から引揚げて行った。

七

番所で罪人の取調べを許さぬとはいえ、検挙した者を一応の審問もせぬ内に目附方で引取るとは心得ぬ事だ、——そのうえあの髭面の奴が嘯《うそぶ》いた言葉の裏にも、突止めてみたい謎があったのに……あれもこれも今となっては仕方ない、不安に思っていると五日めになって、弦八郎の許へ、

「即刻目附役宅へ罷出《まかりで》るよう」

という達《たっし》が来た。——吉か凶か？　胸躍らせて出頭すると、笹目元右衛門がひどく機《き》嫌《げん》の悪い顔で、いきなり高飛車に、

「お役に慣れぬとは申しながら、余り軽々しい致方は慎まねばならぬぞ」

と頭からきめつけた、「其許《そこもと》の捕えた十名の者は、篤《とく》と調べたところいずれも身許

正しき舟夫《かこ》にて、当夜は沖積に遅れた戻りであったと申す、荷主船方とも呼出して対決させた上、正に事実相違なしと相分った、――今後再びかような失態がある時は、唯お役御免では済まされぬぞ」

「暫く、暫くお待ちください」

意外な言葉に弦八郎はぎょっとして、「お言葉にはござるが、彼等は監視舟を見るより早く逃亡を企て、ついにはその舟を沈めてまで脱れようと致しました。罪無き者がかかる怪しき振舞いを致しましょうか」

「いや、彼等は闇中《あんちゅう》不意に鉄砲を撃ちかけられたゆえ、海賊と思違えたと申しておる」

「併し船番所の印ある提燈《ちょうちん》を、土地の舟夫ともある者が知らぬ筈は……」

「左様な事を今ここで論じたところで何になるか、海賊と思って狼狽《ろうばい》している者が、舟印など仔細に読めるものでない、――身許に疑いもなく船方の証明も正しく、別に罪科の証拠とて無い者を猥《みだ》りに……」

「恐れながら」

弦八郎は必死に膝《ひざ》を進めた、「その者たちを一応私に取調べさせて頂きとう存じます」

「なに、何と言う——？」

「身許正しいと申すばかりではいささか念が晴れませぬ、差出がましきお願いにて恐入りまするが、是非私に取調べの儀お許しくださるよう」

「黙れ、黙れ弦八郎。分を越えたる申し条、番所頭の分際を以《もっ》て目附役の調べに不審ありとでも申すか、就任早々と思えばこそ事穏便に計ってやるものを、増長すると承知せぬぞ」

弦八郎は悄然《しょうぜん》と手を突いた。元右衛門はすっかり立腹したらしい。

「追て沙汰《さた》する、番所へ戻って慎みおれ」

そう言って立上る。もう一度押して——と見上げた弦八郎の眼に、意外なものがうつった、元右衛門の袖《そで》に「丸に五」の紋。

「おお！」

と思わず片膝立てたが危く自制して、そのまま役宅を退出した。

「これだこれだ、丸に五……船印でもなく屋号でもない、丸に五は笹目元右衛門の紋なのだ、それでこそ金吾が臨終に——気をつけろと言った意《こころ》も分る、番所の手配が筒抜けに分ったのも、あの髭面めが平然と、うそぶいていたのもよく分る、初めに疑った通りやはり元右衛門が同類であったのだ」

豁然《かつぜん》と事態が明瞭《めいりょう》になった。――今度検挙した者たちは、恐らくその一味であろう、それゆえ一応の調べも許さず引取り、自ら審問に当って反証拵《ごしら》えをしたに違いない。

「もう遅疑する必要はない、あの化の皮を剥《は》いでやるぞ」

雀躍《こおどり》せんばかりに番所へ帰る、すぐ手配にかかろうとしているところへ、突如として凶報がやってきた。

「――その方儀勤方不行届の事有之《これあり》、思召《おぼしめし》を以て即時御役召上げ、謹慎被仰付《おおせつけらる》……」

目附役、老職連署の罷免《ひめん》状である。

「しまった、しまった、――奸物《かんぶつ》め、先手を打ちおったな！」

弦八郎は切歯したが、今は万事休すだ。目附方に職があってこそ罪状の摘発もできるが、役目を免ぜられた以上は最早正面からの手出しはできぬ。

「目附頭へ訴訟するか――？」

と考えたが、既に笹目が同類であるとすると、役々のどこまで手が伸びているか分らない、――この上は搦手《からめて》から一挙に事を決する外はないのだ。よし、最早手段を選ぶべき時ではない。罪府の根幹を衝いて同類を打尽してくれるぞ……と、決然心に誓って番所を引払おうとした時、又しても弦八郎は不思議な拾い物をした。それは自分の荷物の中から、妙な袱紗包《ふくさづつみ》が出てきたのである。

「はて、こんな物があったかしらん」

手に取って暫く考えていたが、「おお、あの夜灘波屋と申す商人が——」と思わず膝を打った。就任祝いの席で、祝儀だと言って灘波屋次郎吉がくれた品、笹目の口添もあったので貰《もら》って帰ったが、あの騒ぎで納《しま》い込んだきり忘れていたのである。——何が入っているかと袱紗を解いてみた。

「——五十両……」

小判で五十両の包み金が出た、弦八郎の眼がきらりと光る、「そうか、密貿易の張本は灘波屋だな」

弦八郎はすっくと立った。

八

「さあ帰れ、帰らぬか！」

部屋の口に立ちはだかったまま、棋兵衛が呶声《どせい》をあげた、「弦八郎、貴様、——恥を知れ」

「帰りませんよ、全く」

酒楼満須屋の奥座敷で盃盤狼藉《はいばんろうぜき》たる中に、弦八郎は小光を相手に酔痴《よいし》れている。

「帰れとおっしゃっても、かような美人を措《お》いてどうして家へ戻れましょうか、はっはっは、叔父上にもそうお堅くならずと一杯」

「穢《けが》らわしい触るな、謹慎の身を以てかかる醜態、十日あまりも帰宅せぬと聞いたゆえ、飛んできて見ればこの態《てい》、貴様それでも武士と言えるか！」

「大層なお怒りでござるな、だが帰りませんぞ、諺《ことわざ》にも『蛇《へび》を殺さんとすればその脳髄を砕く可《べ》し』と申す、また『初めに塩を用いざれば砂糖も利《き》かず』と申しましてな、――はて……何を言うつもりだったかしらん、こいつは少しばかり酔ったらしいぞ」

「――弦八郎！」

「あ、思い出した。諺でござる、毎《いつ》もは叔父上に聞かされるばかり、そこで今夜は私の番という訳です。こんなのは如何《いかが》、『一升の餅《もち》にも粉が要る』とな、あははは、況《まし》てや大物に於《おい》てをや――御免」

と言うと小光の膝へごろりと横になった。棋兵衛は不審そうに甥の顔を覓《みつ》めていたが、やがて何を思ったか、

「よし、弦八郎、待っておるぞ」

と言い残すと踵《きびす》を返して立去った。

「杉さま……もし」

小光は気遣わしげに、「あちら様がお帰りなされましたけれど、いいのですか――ねえ、杉さまったら」

「それよりも小光、耳を貸せ」

妓《おんな》は上気した顔を触れんばかりに弦八郎の頬《ほお》へすり寄せた。

「そなた、今宵は泊って行くのだぞ」

「ま！」

小光は思わず男の肩を摑んだ、

「杉さま、それ本気でおっしゃいますの？」

「厭《いや》か――」

「嬉《うれ》しい、杉さま」

妓はつきあげるように喘《あえ》ぎ、両手を男の脇《わき》へ廻して抱緊《だきし》めながら、狂おしく相手の躰《からだ》へのしかかろうとしたが――不意に、はっと身を反らすと抱いていた腕を放して、いきなりそこへわっと泣伏してしまった。

「どうしたのだ」

弦八郎は訝《いぶか》しげに起上る。

「杉さま、否《い》え杉田さま」

小光は裂けるように言った、「どうぞお赦《ゆる》しくださいませ、わたくしにはできませぬ」

「できぬとは――？」

「嘘《うそ》でもいい、たった一度、思いを遂げたいと焦《こが》れていましたけれど、やはりわたくしにはできませぬ」

「――小光！」

「貴方《あなた》がわたくしをお察しの様に、わたくしも貴方の御本心を存じております。貴方がここでお遊びなさるのは笹目の……」

「高いぞ！」

弦八郎が驚いて制した。「――それでは、知っていたと言うのか」

「はい、初めてこの家へおいでなされた時から、灘波屋一味の御探索と存じましたが。――とうからお慕い申しておりましたわたくしは、貴方がお偽り遊ばすのを幸いに、知らぬ顔してお情を偸《ぬす》もうと思ったのです、けれど……お美しいお許婚《いいなずけ》のある杉田さまが、お役目とは言いながら卑《いや》しい小光風情《ふぜい》を優しくおあしらいなさる、そのお心を思うと恥しくて――」

再び咽《むせ》びあげたが「こうお打明け申したからは、何もかもここで申し上げまする、何なりとお訊《たず》ねくださいませ」

「――そうであったか」

浮《うか》れ女《め》に誠ありけり。弦八郎はさすがに胸をうたれて暫くは言葉もなかったが、やがて心をとり直して、「そう言われては拙者こそ今更恥入ります。併《しか》しいま其許も言われた如《ごと》く、この度の事は万策尽きての非常手段、搦手より一挙に奸党の根を襲ってお家の禍根を除かねばならぬ必死の場合でござる。――改めてお訊ね申すが、密貿易《ぬけに》の張本人は灘波屋でござろうな」

「はい、お役向では目附頭野村源兵衛様」

「なに野村源――」

危し、弦八郎は免役された時、当の目附頭に訴訟しようと思って止《や》めたのである。まことに危機一髪であった。

「笹目様、生田様、楢山様、重立った方は以上四人みんな御同腹でございます、――しかも今宵、海端の角屋で灘波屋はじめ御一統が会合なさるはず」

「憎む可し、憎む可し、野村源兵衛まで同類とあるからは、最早表向では事は成らぬ。よし、『非常の剣は断乎たる可し』だ、一味会合を幸い――みんな斬ってやる」

弦八郎は眦《まなじり》を決して、「小光、角屋は其許の屋形とか聞いたが」

「はい」

「手引きを頼むぞ」小光は唇を引結んで頷《うなず》いた。——弦八郎は筆と紙を取寄せて一通の文を書き、使いに托して棋兵衛のもとへやると、別に一通、密貿易一味の罪状、徒党を斬る始終の事を認《したた》めて懐中し、いざとばかりに満須屋を立出《たちい》でた。

九

「うーむ、やりおったか」

使者の持ってきた弦八郎の手紙を、読み終るが否《いな》や棋兵衛は躍り上がった、「蛇を殺さんとすればその脳髄までと申した言葉、由《よし》ありげだと思って帰ったがこうとは知らなんだ」

「貴方なにを独りで喜んでいらっしゃるのです、弦八郎が何か」

「ええ黙れ、訳が知りたければ後でこの手紙を読むがいい、さあ弓江の支度じゃ」

「支度と言って何の……?」

「うるさい、黙ってやれ、弓江の着換えを包んで、沢山は要らぬぞ、それから櫛《くし》、笄《こうがい》、金になりそうな物はみんな入れろ、儂《わし》の手箱は何処《どこ》にある、銀子を有るだけ出せ、ええ忘れた。まず弓江を呼んでこい。何をうろうろ致しおるか婆《ばば》あ」

独りで慌《あわ》てながら娘に旅支度をさせると、妻の手へ弦八郎の文を叩《たた》きつけ、弓江を急《せ》きたてながら屋敷をとび出した。——途中あらましの事を娘に話しながら、大船着へ来る、寒月すさまじく冴《さ》える海辺、……息を冰《こお》らせてそこかと窺《うかが》うところへ、

「こちらでございます」と言う女の声がした。——岩を刻んだ段々の蔭から、すっと出て来たのは小光である。

「おお、そなたは——？」

「先程は御無礼を仕《つかまつ》りました」

「どうしてここへ」

「お二人様の舟拵えをするため、ひと足先に参りました。あれに着けてあるのがその舟、四挺櫓《ちょうろ》の舟夫《かこ》は粒選《つぶよ》りの腕達者、途中の御心配は決してございませぬ」そう言って小光はそっと弓江を見た。

「お嬢さまでいらっしゃいますか」

「娘弓江と申す」

「まあ——お美しい嫁御寮、否え……お美しいお嬢さま」

弓江はぽっと頰を染めながら、羞《はずか》しそうに小腰を跼《かが》めた。その時——小光の頰に、月を湛《たた》えてひと筋、すっと流れるものがあったのを誰が知ろう。

「ではこれでわたくしは失礼致します、御免遊ばせ——お嬢さま」

「はい」

「どうぞ千代かけてお仕合せに」

消入りそうに言うと、小走りに霜の道を去って行った。ほとんど同時に、向うからとんでくる弦八郎の姿、や、走る、走る。

「おお弦八郎が参ったぞ」

棋兵衛は手をあげながら、「おーい、ここに居るぞ！」

「やあお待たせ申しました」

息せき切って駆けつけた弦八郎、棋兵衛は間も措かせずに、

「弦八郎、やったか——？」

「やりました」

「みんな斬ったか」

「みんな斬りました」

弦八郎はにっこり笑って、「非常の剣は断乎たる可し、叔父上——諺には真理がありますな」

「初めて分ったか、わっはははは」

棋兵衛は破《わ》れるような声で笑いながら、ぐいと娘を押しやった。

「褒美《ほうび》じゃ、伴《つ》れて行け」

「有難い……弓江どの」

弦八郎はつと娘の手をとった、「弦八郎と一緒においでくださるか」

「はい、どうぞお伴れ遊ばして……」

弓江はひしと弦八郎の手に縋《すが》った。棋兵衛はもどかしげに二人を段の方へ押しながら、

「睦言《むつごと》は後にしろ、舟はあれに待っている、追手のかからぬ内に早く行け」

「ではこれにて、あ――」

と弦八郎は懐中の書状を取出し、「仔細はこれに認めてござる、叔父上のお手より目附方へお差出しください」

「心得た、乗れ――」

「さらばでござる」会釈《えしやく》もそこそこ、弦八郎は弓江を援《たす》けながら舟へ乗る、棋兵衛が大声に、

「弦八郎、諺に『狐《きつね》は死して丘《きゆう》に首《しゆ》す』と言うぞ、必ず島原を忘れるな、住所が定ったら便りをせいよ、追て帰参の叶《かな》うよう取計ってやるぞ」

「は、叔父上にも御健固に……」

舟は櫓の音と共に岸を離れた。——寒月はあくまで澄み、島原の海は砥《と》の如《ごと》く凪《な》いでいる、——遠ざかり行く舟を見戍って、少し離れた岩蔭に独り、声を忍んで泣く者がいた——鷗《かもめ》か……千鳥か。

（「雄弁」昭和十一年七月号）

磔<sup>はりつけ</sup>又<sup>また</sup>七<sup>しち</sup>

一

寛永九年の初秋、隅田《すみだ》の川涼みもひと盛り過ぎた、とある日の午《ひる》さがり、五十七人という大勢の罪人が裸馬に乗せられて、鈴ケ森の刑場へ送られるべく京橋から芝へとかかって来た。

沿道はそれを見物する群衆で沸きかえるような騒ぎである。

「どうだい、恐ろしい人数だな」

「なにしろ五十七人いっぺんに磔刑《はりつけ》というのだ、御入国以来のできごとだぜ」

「いったいどんな悪事を働いたんだね」

「おめえ知らねえのか」

どこにでもいる舌長の男が「きゃつらは大坂がたの浪人で、お江戸の天下をひっくり返そうというふてえ謀反《むほん》を企《たくら》みやがったのだ、それがお上に知れて去年の夏お手当になり、余類のお調べも落着したから、いよいよ今日お仕置になろうというわけさ」

「そいつは大外《だいそ》れたやつらだな、やあい――手前っち痩《やせ》浪人が何万人寄ったたって、徳川様の天下はびくともするものじゃあねえぞ、ざまあみやがれ」

「構うこたあねえ、石をぶっつけてやれ」

「そうだ、やれやれ」

辻番《つじばん》の制止も肯《き》かず、ばらばらと石を投げつける者もあった。

この行列が宇田川町にさしかかった時である、人垣《ひとがき》のなかに揉《も》まれながら罪人の列を見戍《みまも》っている一人の若女房があった。年は十八か九であろう、眉《まゆ》の剃跡《そりあと》の青々として胸のふくらみもかたく、肩つき腰の肉置《ししおき》にどこやらいまだ娘の名残のありながら、花咲きそめた色っぽさが溢《あふ》れるような身ごなし――何を捜すか息を殺して、人の肩越しに罪人の列を見送っていたが、やがて二十九番めの裸馬が近づいて来ると、それに乗った男を見るなり、

「ああっ!」

と低く叫んだ。

「又さんが――又さんが……」

顔色を変えて我知らず前へ乗出そうとする、

「おっ、押しちゃあいけねえ」

「押しちゃあ危ねえ」

びっしりと詰った人垣の動かばこそ、女は夢中で伸び上り伸び上り、恥かしさも忘

れて、

「又さーん、又さーん」

と呼びかけた。周囲の群衆は意外な声に驚いて一斉《いっせい》に声のしたほうへ振返る、それを掻分《かきわ》けて一人の若者が、

「姐《あね》さん、いけねえ」

と女の後から抱き止めた。

「みっともねえ、姐さんったら」

「放して、放しておくれ」

「人なかだ、姐さん、あ！　いけねえ」

振切って前へ駈《か》けだそうとするのを、男は力任せに引戻して好奇の眼《め》を向ける群衆の中へまぎれ込んでしまった。

芝新銭座《しんせんざ》の目明しで相模屋松五郎《さがみやまつごろう》という名を売った親分がいた。去年の夏、謀反を企てた貫島市郎兵衛《ぬきしまいちろべえ》、来馬甚左衛門《きじまじんざえもん》ら一味の検挙に並ならぬ手柄《てがら》があったので、公儀から芝一円の元締役を仰付《おおせつ》けられている。今日は貫島一味の五十七名がお仕置になる日で、事件落着の祝いも兼ね、松五郎の家では子分一統が集って酒盛りをしていた。

午さがりのこと、下っ引の兼《かね》というのがとんで来て、

「辰兄哥《たつあにい》をちょっと呼んでおくんなさい」

と云《い》う。呼ばれて出て来たのは松五郎の身内でも腕利《うでき》きといわれた目貫《めぬき》の辰次《たつじ》、苦味ばしった痩形の良い男だ。

「なんだ兼」

「家へ帰っておくんねえ、姐さんが……」

「お由美《ゆみ》がどうしたと」

「ま、とにかく帰っておくんねえ」

辰次は一度引返したがすぐに出て来る、兼と一緒に急ぎ足で、片門前の裏長屋にある自分の家へ戻った。

「お由美、どうかしたか」

と入って見ると、髪も乱れたまま泣き伏していたお由美が、

「おまえさん」とはね起きて、「又さんをどうしました、又さんを」

「又七を？」

さっと辰次の顔色が変った。お由美は辰次を引据《ひきす》えるようにして、

「又さんはいま、裸馬に乗せられて鈴ケ森へ曳《ひ》かれて行きましたよ、聞けば今日あの

謀反人たちと一緒に磔刑になるという話……おまえさん私を騙《だま》したんですか」

「まあ待て、これにゃあわけがあるんだ」

「言訳は措《お》いてください、おまえさん何と云いました。又のことは引受けた、かならず御赦免になるようにすると、あれほどはっきり約束したじゃありませんか、あの約束も嘘《うそ》だったんですか」

「嘘じゃあねえ、たしかにそう思ったのだ」

「それじゃあなぜ御赦免にならなかったんです、又さんにどんな罪があるんです、あのひとは仏師ですよ、木を彫って仏様を作る職人ですよ、あんな大外れた謀反の一味だなんて大嘘です、みんな誰かの仕組んだ罠《わな》です」

「お由美、まあ聞きねえ」

辰次はお由美を必死になだめながら、

「まあ聞きねえと云うことよ、おめえにそう責められちゃあ、おれゃあ何と言訳のしようもねえが、又七はおいらにとっても幼な友達だ、どうかして助けてえと思って、できるったけの運動をしてみた、だが――いけなかった」

「どうしていけなかったんです」

「おめえも知っているとおり、又七は貫島市郎兵衛に頼まれて観世音を彫った、ただそれだけだと思っていたから、蔓《つる》を頼ればお咎《とが》めだけで済むと考えていた。ところが、その観世音の像をお上でよく検《しら》べてみると、隠し胴があって中に公方様《くぼう》を呪《のろ》う文句がはっきり刻みつけてあったのだ、お由美……これじゃ駄目《だめ》だ、誰がどんなに運動してみたところでとても及ばねえ」

「嘘です、そんなことのある道理がありません」

「おめえがいくらそう云ったところが、お上のお調べに曲のあるはずはねえ、もっと前に話そうと思っていたが、おめえの歎《なげ》きを見るのが辛《つら》くて今日まで云いそびれていたんだ」

「それはいつ頃《ごろ》のことです？」

「この春だ」

「では私がこの家へ嫁《く》る前ですね」

お由美は眸子《ひとみ》のあがった眼できっと辰次を瞶《みつ》めたが、やがて裂けるように、

「私は馬鹿《ばか》だった、馬鹿だった」

と魘言《うわごと》のように叫んだ。

「お由美、そりゃあおめえどういうわけだ」

「おまえはきっと又さんを助けてくれると思った、又さんの生命《いのち》さえ助かるなら、私

なんかどうなってもいいと思って……」

「なんだと？」

辰次は坐《すわ》り直した、「それじゃ、なにか、おめえは又七を助けてえためにおいらの処《ところ》へ来たと云うのか」

「おまえだって又さんを助けてやるというのを餌《えさ》に私を女房にしたじゃないか、いえ私ゃあ知っていた、ちゃんと知っていて来たんです」

「知っていたらどうしたんだ」

辰次の声もうわずってきた、

「又七を助けてみせると云ったのは本当だ、けれどもできねえものは逆鉾立《しやつちよこだ》ちをしたってできやしねえ、おいらが嘘をついたんじゃねえ、助からねえような事情があってのことだ、どこへ出たって理窟《りくつ》の通る話じゃあねえか。ところがおめえはいったいどうだ、おめえはどうだよ」

辰次は膝《ひざ》を叩《たた》いた、

「初めから添う気のねえものを、自分の焦《こが》れていた男を助けてやると云われたからって、そのために身を任せるなんざあ売女《ばいた》、売女のすることだ」

「嫌《きら》って嫌って、嫌いぬかれていながら、又さんがお縄《なわ》になったと聞いた時、私ゃあなんでもする気になった。これが売女なら、私ゃあ売女に違いありません」

「売女だ、売女だ、そんなやつは女房だとは思わねえ、出てってくれ」

「出て行けと云われたって」

お由美は咽《むせ》ぶように云った、

「私ゃあもう……出て行ける体じゃありゃあしません」

「――なんだと」

辰次はぎょっとして振返った。女の体、それはもう考えるまでもないことであった。

お由美は背に波をうたせて泣いていた。

二

「お待ちください、どうか、どうか」

「騒ぐな！」

「お慈悲でございます」

又七は縄を解かれるとともに、衰弱しきった体の、どこにこんな力があるかと驚くばかりの腕力で、役人へしがみ付いた。

「私はお仕置を受ける覚えはありません、私は仏師でございます、謀反人に頼まれて仏像を彫ったのは悪うございました。けれども隠し胴に公方様を呪う文句を刻みこんだなどと、そんな大外れたことは決して致しません。誰かが私を陥《おとし》いれたのでございます、それを御詮議《ごせんぎ》くださればかならず分ります。どうかお仕置だけはお赦《ゆる》しくださいまし、御詮議の済むまでは何年でも何十年でもお牢《ろう》の中におりますから、どうか……」

「ええうるさい、放せ」

「それでは片門前の辰次をお呼びください、あれなら私の証《あかし》を立ててくれます、どうか辰次をお呼出しくださいまし」

「何と申したところで、こと落着に及んだ今となってはもはや適《かな》わん、諦《あきら》めてお仕置を受けろ。早くこの者を柱へつけぬか！」

「はっ、さあ神妙にしろ」

下役人が二人がかりで引放す、

「いやだ、放してくれ」

又七は狂気のように、「こんな理不尽なことがあるか、罪もない者を殺すなんて、これは人殺しだ、人殺しだ」

「神妙にしろ」

必死に暴れもがくのを、駈けつけて来た同役四人がかりで遮二無二《しやにむに》磔刑柱へ縛りつけてしまった。

「助けてくれ、辰次を呼んでくれ」

と喚《わめ》き叫ぶ又七、いま足の縄をかけ終った下役人の一人が、

「諦めろよ又七」

と耳へ口を寄せて囁《ささや》いた、

「おめえがいくら呼んだって辰次の来る気遣えはねえ、どうせ死ぬおめえだから教えてやるがな、辰次はこの夏前にお由美と一緒になり、今はおめえのことなんか考えていられないのだ」

「げっ、な、なんですって」

又七は愕然《がくぜん》と眼を明けた。

「それじゃあ、あの辰次はお由美を……？」

「諦めねえ、成仏《じようぶつ》するんだぜ」

又七は仮面のような顔で宙を睨《にら》んだ。

鈴ケ森の刑場、竹矢来の外は蟻《あり》の這《は》う隙《すき》もなく群衆がひしめいている、松の老木を越して海が、初秋のかっとした午後の陽《ひ》をあびて光っているそれを前に、五十七本の

磔刑柱がずらりと並んで立った。

又七はまん中の柱、どっちから数えても二十九番の柱へ括《くく》り付けられている。

「そうだ、今こそ分ったぞ」

又七は不意に叫びだした、

「こいつはみんな辰次の拵《こしら》えた仕事だ、おいらの生きているあいだはお由美が自分に靡《なび》かない、そこでおいらを片付けにかかったのだ、畜生」

又七の歯はがちがちと鳴る、

「隠し胴の中に彫ったはずのない字が刻みこんであったというが、あの観音像を検挙《あげ》てからお上へ差上げるあいだに細工をしゃあがったのだ、うぬ……辰次め！」

その時右の端のほうで、ひーと云う凄《すさま》じい悲鳴が起った。最初の一人が槍《やり》をつけられたのである、竹矢来の外の群衆が、風に戦《そよ》ぐ笹原《ささはら》のように揺れた。

「ようし、おらあこのまま死にゃあしねえぞ」

又七には悲鳴も聞えなかった、揺れかえる群衆も見えなかった。

「おらあこの恨みを晴らさずにゃおかねえ、たとえこの体あ磔刑柱の露になっても、生替り死替り祟《たた》ってやる、辰次のやつを怨《うら》み殺しに殺してやるんだ」

その時ぐっと近くで悲鳴が起った。その声は巌《いわ》をも透《とお》す鋭さで又七の耳を襲った。

「――あっ」

又七はその声を聞いた。

同時に左のほうでも、地獄の大叫喚かと思うばかりに、人の心を刺し、感情を痺《しび》れさせるような悲痛な叫びが起った。

「呪ってやるぞ辰次！」

又七は喉《のど》を裂けよと喚いた、

「又七は悪霊になってきさまをとり殺してやるぞ」

三度、又七の叫びを凌《しの》いで断末魔の呻《うめ》きが聞えてきた。

又七は気を喪《うしな》ってしまった。


誰か呼んでいるような気がする。微《かす》かに、遠くのほうで自分を呼んでいる、しかしそれは夢とも現《うつつ》ともつかぬ感じで、そう思ったまま いつかしらまた昏迷《こんめい》のなかに意識を失った。

それからどのくらい経《た》ったであろう、衿《えり》すじへ冷たい滴《しずく》の垂れるのを感じて、又七はふっと我に甦《かえ》った。

「――」

そのときまたひと滴、ぽたりと頰《ほお》へ落ちたものがある。

身にしみ透る冷たい一点だ、又七はようやく覚めかかる意識のなかから、怪訝《けげん》そうに眼を瞠《みひら》いた。夜だ、四辺《あたり》は漆のように濃い闇《やみ》である。

「どうしたのだ……？」

思わず呟《つぶや》いて左右を見た。

左にも右にも磔刑柱が立っている、視力の弱った眸子をさだめて見ると、白の仕置着を血に染めて、刑殺された死体が架かっている。ぞっとして我知らず跳退《とびの》こうとしたが、びくとも動かぬ手足に、

「ああっ！」

又七ははっきり醒《さ》めた。自分も磔刑柱に架けられているのだ。そして、自分だけは生きているのだ。

「生きている、私は生きているぞ」

又七は低く呟いた。体を動かしてみた、関節は凝って痛い、頭もくらくらする、けれど仕置着には一点の血もない、正に又七は生きているのだ、死を免《まぬか》れたのだ。

(巷説《こうせつ》伝うるところによれば、この日の処刑は日没後に及んだという、五十七人という大勢を刑殺するので、疲れきった刑吏は、夜の闇にまぎれたのと、異常な疲労とで、

中央にいた又七をついに遺《のこ》し忘れてしまったのであるという）

「ありがたい、ありがたいことだ」

つきあげるように云った、

「これも日頃私が仏像を彫っていた利益《りやく》であろう、最後に作った観世音菩薩《ぼさつ》には、ことに信仰を籠《こ》めてあった、観世音の御利益だ、かたじけないことだ」

又七は溢《あふ》れくる涙のなかで、声を顫《ふる》わせながら観音普門品《かんのんふもんぼん》を唱えはじめた。

「――或値怨賊繞《わくちおんぞくにょう》　各執刀加害《かくしゅうとうかがい》　念彼観音力《ねんぴかんのんりき》　咸即起慈心《げんそくきじしん》　或遭王難苦《わくそうおうなんく》　臨刑欲寿《りんぎょうよくじゅ》終《しゅう》　念彼観音力　刀尋段段壊《とうじんだんだんね》……」

一心に念仏していた時、ふと刑場の向うの道へ提燈《ちょうちん》の光が近づいて来るのを見つけた。初めは仕置場の不浄役かと思ったが、急ぎ足に来るのを見ると、夜道をかけての急飛脚らしい、又七は大声に、

「もし、お願いでございます」

と呼びかけた。

普通の者ならひと堪《たま》りもなく腰をぬかすか、でなくとも夢中で逃げだしたに相違ない、しかし相手は夜道に馴《な》れた飛脚だった、刑場の中から呼びかけられて、一度はぎょっと立竦《たちすく》んだが、

「お慈悲でございます、どうかちょっとお手をお藉《か》しくださいまし」

又七の二度の声に、

「だ、誰だ、どこにいる……」

と提燈を差出しながら二三歩寄って来た。

「こっちでございます」

「どこだって」

「磔刑柱の上に……」

「げえっ！」

さすがに飛脚もたじたじとなったが、よほど豪胆な男とみえて、なおも四五歩進み寄った。見ると血まみれに刑殺された罪人の中に、これだけは傷ひとつない又七の姿が見える。

「お、おまえさんか」

「はい、お聞き及びでもございましょうが、今日ここでお仕置になった者の一人、私は仏師で又七と申す者でございます」

「うん」

「ちょっと仔細《しさい》がございまして、友達の罠にかかり、罪なき身でお仕置にかかりましたが、日頃信ずる仏の御利生か、不思議にこうして生命を助かりました。ついてはこれから頭をまるめ、一生を仏に捧《ささ》げて送りたいと存じます、どうかお助けくださいまし」

「へえ。不思議なこともあるものだな」

飛脚も奇異の歎声《たんせい》をもらした、

「礫刑柱の上へあげられながら、たった一人助かるなんて年代記にもねえ珍しい話だ。なるほど、お仏師だとすればさぞかし仏の御利生だろう、ようがす、私もこんな商売で日頃から仏信心は欠かさねえ男だ、ひとつ仏様のお手先を勧める気でお助け申しましょう」

「ありがとうございます、ありがとう……」

又七の声は歓喜に顫えていた、飛脚はふっと提燈を吹き消した。


そのあくる朝である。

辰次が女房お由美と二人、昨日の諍《いさか》いの晴れぬ、気まずい朝飯の膳《ぜん》に向っているところへ、下っ引の兼がとんで来た。

「兄哥は家か」

「おう、誰だ、兼か」

「お早う」

と格子口《こうしぐち》から首を突込んだまま、

「兄哥、ちょっと顔を貸してくんねえ」

「いま飯を喰《く》ってるが、何か用か」

「急用なんだ、ちょっと表まで来てくんねえ」

辰次は箸《はし》を措いて立った。

格子口で眼配せをした兼は、辰次を促して露路奥にある空地へ来る、息を喘《あえ》がせながら低い声で、

「大変だぜ、ま、又七の野郎が逃げた」

「又が逃げた？　なんの話だそりゃあ」

「又七だよ、昨日鈴ケ森でお仕置になった又七がいねえんだ」

「お仕置になった者が逃げられるか」

「それが不思議なんだ」

兼は息をついで、

「朝になって仕置場の非人たちが見廻りに行ったら、又七の姿が見えねえ、磔刑柱は

そのままだが縛った縄《なわ》は切られている。おまけにね、柱を検べてみると血の痕《あと》がねえんだ」

「な、なんだと？」

「どうやら仕置洩《も》れになってたらしい、その場に又七の着ていた仕置着も脱ぎ捨ててあったが、これにも傷痕がねえんだ」

「それでどうした」

「すぐお届け申して、いま八方へ手を廻しているがね……兄哥」

と兼は指をしゃくって、

「気をつけてくんねえ、又七の野郎あのことを感づいたとみえて、磔刑柱の上からたいそうおめえを怨んでいたと云うぜ」

「あのことたあ何だ？」

「おれに隠してもいけねえ」

兼、声をひそめ、

「あの観音仏の隠し胴へ、佐柄木《さえぎ》町の吉蔵《きちぞう》の野郎に金をやって、穏かならねえ文句を刻み込んだ始終、おらあちゃんと知っていたんだ」

「どうしたと」

「怒っちゃいけねえ、おらあ兄哥に体を頼んでいるんだ、今日まで黙っていた以上はこれからだって決してしゃべるこっちゃあねえ。だが、又七のやつぁ生替り死替り、必ずおめえを怨み殺しにしてやると云っていたそうだ。もしお仕置洩れで生きているとすると、きっと兄哥の首を狙《ねら》っているぜ」

辰次の顔は死人のように蒼白《あおざ》めた。

又七がどうして気付かぬ訳があろう。彫った覚えのない呪文《じゆもん》が彫ってあった、しかもあの仏像に手を着けることのできるのは、彼を検挙《あげ》た辰次のほかにない。惚《ほ》れぬいたお由美の心が、どうしても又七から離れぬのを知った苦しまぎれ、又七が謀反人の貫島市郎兵衛に供養仏を頼まれて彫ったと分った時、これ幸いとばかり検挙たあと、それだけでは罪になりそうもなかったから、馴染《なじみ》の大工吉蔵に情を明かして将軍家を呪う文句を刻みこませた。もちろん辰次のつもりでは二年か三年の罪ぐらいに考えていたところが、意外にも又七は磔刑という断罪……これは仕過ぎたと気付いた時はもうどうにもしようがなかったのである。

辰次は罪の恐ろしさに戦《おのの》いた。幾晩も魘《うな》された、苦しんだ。そのうち一方にはそれが幸いした、お由美はついに女房になることを承知したのである。しかし彼女は、心から辰次の妻になる気はなかったのだ。又七を助けてやると云われて身を殺したのだ、昨日それをたしかめて明る今日、また、又七の生き延びたことを聞こうとは。

「罰だ、罰だ」

辰次は思わず呟いた、しかしそのあとから猛然と反抗する力が盛り上ってきた。

「なにをくそっ、どうせ乗りかかった舟だ、向うが怨んで狙うなら、こっちはお上の力で向ってやる、仕置場からの縄脱《なわぬ》けだ、ひっ捉《とら》えれば今度こそこっちの勝だ、見やあがれ」

と歯を喰いしばった辰次、

「よし、分った」

と兼のほうへ振向いた。

「おめえすぐに親分のところへ行ってくれ、おいらも後から行こう」

「合点だ」

「又の野郎、必ず捜し出してみせるぜ」

辰次、蒼白めた顔でにやりと笑った。

前代未聞《みもん》の事件はたちまち江戸中へひろまっていった。市中は云うまでもなく街道筋、奥州から上方まで水も洩《も》らさぬ網が張られた、辰次は素《もと》より自分の生命を狙われている恐ろしさ、狂気のように奔走したがついに又七の姿は発見されなかった。

そして年月が経《た》っていった。

三

正保四年の暮春のことである。

上総国《かずさのくに》九十九里浜の近く、上総一宮の下宿のとある宿屋へ、遊山《ゆさん》旅らしい中年の夫婦が草鞋《わらじ》を脱いだ。男は目貫の辰次、女房はあのときのお由美である。

あれからまさに十五年経った。そのあいだに夫婦のなかには子供が三人生れ、辰次は段々と腕を認められて、五年あとに相模屋松五郎が隠居すると、その跡目をもらって芝一円の束ねをするまでになっていた。今度はながいあいだの御用疲れを休めようと、半月のお暇を願って夫婦伴《づ》れ、ゆっくりと安房《あわ》の誕生寺へ参詣《さんけい》をして、房州のはなを廻り、ようやく一宮へとやって来たのであった。

風呂を浴びてさっぱりした辰次、宿の浴衣《ゆかた》に丹前を重ねて、活《いき》の良いこりこりするような刺身に水貝かなにかをつつきながら、お由美と差向いで盃《さかずき》をとりあげた。

「おまえ様がたはお江戸でござりますか」

給仕に来た婢《おんな》がお由美のほうへ飯を出しながら話しかけた。

「お江戸はたいそうな賑盛《にぎわい》だそうで、わたしらも死ぬまでには一遍見物に出たいと思いますが、こうしてお江戸のお客様を見ると本当に羨《うらや》ましくてなりません」
「なあに、住んでみれば江戸も房州も同じことさ、ときたまに来るおいらのほうから見れば、いっそここいらが暢気《のんき》で羨ましいくらいのものだ」
「そんなものでございますかね」
「おいらも精々稼《かせ》いだら、いつかこの辺へ地所でも買って隠居するつもりさ、そのときは姐《ねえ》さんよろしく頼むぜ」
「畏《かしこま》りました、ほほほほ」
「時に——」
辰次はお由美の酌《しゃく》を受けながら、
「なにか土地のことでおもしれえ話はねえかの」
「へえ、なにしろ辺鄙《へんぴ》な処《ところ》でべつに面白い話というのもございませんが……ああそうそう、お珍しくはないかも知れませんが、こんなことがございます」
婢は給仕の盆を膝《ひざ》へついて、
「この一宮の奥に奈波山という山がございます」
「うん」
「そこに今から……十二三年も前のこと、一人の旅のお坊さんが庵《いおり》を組んでお住いなすったそうで、そのお坊さんが妙なことに、庵の中で仏様のお像を彫りなさるのです」

「仏像を彫るって？」

「はい、なんでも米や麦はいっさい召上らず、木の根草の実を食べながら、里へも出ずに籠《こも》りっきりで彫っていなさいます。それがまた高さ一丈もあるという大きな仏様でもう四体はでき上り、いま五体めにかかっていなさるのでござります」

辰次の唇《くちびる》が急にひき緊《し》まった。

「それで、その坊さんは何という名だね」

「お名前も知れずどこのかたか、何宗の坊さんかも分りませんが、近在の人たちは木《もく》食上人《じきしようにん》と云ってたいそう信仰しておられますだ」

「年は幾つくらいだね」

「さあ、私も一年ばかり前に、一度お詣《まい》りをした時ちらと見ましたが、髪も髭《ひげ》も伸び放題、乞食《こじき》のようなお姿でよくは分りませんが、もう五十の坂は越しているだろうという噂《うわさ》でござりますだよ」

「五十を越している……」

去るものは日々に疎《うと》しと云うが、十五年経つうちにも一日として忘れることのできなかった又七の姿が、婢の話につれてありありと思い出された。しかし、五十を越しているらしいと聞いて、辰次の胸の戦きはやや静まったのである。

　お由美も同じこと、話の始めにはてっきり又七と思って、それとなく見ると良人《おっと》の面《おもて》も変っていたから、どうなることかとはらはらしながら聞いていたが、年の違いを知って辰次と同様ほっとした。

「珍しい話を聞いた、木食をしながら十二三年も仏像を彫るとは、よほど奇特なお坊さんだの、さて、おいらも飯をもらおうか」

　辰次は茶碗《ちゃわん》をとりあげた。

　その夜は早く寝た、歩き疲れで夢も見ずにぐっすり眠ったお由美が、明る朝眼覚めたのは陽《ひ》がずっと高くなってからのことだった。手洗に立って戻ったが、辰次の姿が見えない、どうしたのかと思って婢に訊《き》くと、

「今朝早く奈波山へ行く道を訊《たず》ねていなさいましたから、おおかた昨夜《ゆうべ》お話し申した木食上人の処へでもおいでになったのでござりましょう。はい、軽く御膳《ごぜん》をあがって
……」

　ということだった。

「奈波山へ」

お由美はぎょっとしたが、すぐに身仕度をしながら、

「では私もちょっと行って来ましょう、いえ御飯は帰ってからいただきますから、道の分る処まで案内を頼みます」

「へえ、畏りました」

婢は急いで階下へ下りて行った。

その頃、辰次は奈波山の谷合に臨んだ、噂の庵を尋ね当てていた。

年の違いから一度はほっとしたものの、たしかめずにはいられぬ気持から、女房には知らさず起きぬけに来たのである。尋ね当ててみると庵とは名ばかり、人里遠く離れた、山ふところの杉林の中に、元は樵夫小舎《きこりごや》にでも使ったらしい、棟《むね》の高い一軒家、屋根は腐り柱は傾き、まるで化物でも住みそうなひどい荒屋《あばらや》である。

「こいつは甚《ひで》え」

さすがの辰次もそう呟いて足を止めた。すると小舎の中から念仏の声が聞える。

「……仁者《にんしゃ》。愍我等故《みんがとうこ》。受此瓔珞《じゅしようらく》。爾時《にじ》仏告《ぶつごう》。観世音《かんぜおん》菩薩《ぼさつ》。当愍此《とうみんし》無《む》尽意《じんに》菩薩《ぼさつ》。及四《ぎゅうし》衆《しゅ》。天《てん》。竜《りゅう》。夜叉《やしゃ》。乾闥婆《けんだつば》……」

観音普門品《ふもんぼん》である。

辰次はそっと足を進めて、脇手《わきて》の小窓から中を覗《のぞ》いた。庵の中は一方明りで薄暗い、まず眼についたのは壁に添って安置された大きな四体の仏像である、その前にほとんど彫りあがろうとしている一体があり、一人の男が念仏を唱えながら鑿《のみ》をふるっているのが見えた。

条《すじ》になって破れた衣、頭髪も髭も半ば白くなって、鑿をふるう手、足、まるで枯木のように痩《や》せ細っている。だが、念仏の声は力に満ち精気に溢《あふ》れていた。

「又七だ」

辰次はぞっとしながら呟いた「窶《やつ》れているがあの体つき、あの声に誤りはない、又七だ、又七がここに生きていた」

辰次は全身の慄《ふる》えを感じた。十五年のあいだ捜していた相手をとうとうみつけたのだ、目明しとして何十人の子分を使う身の上になっても、現《うつつ》に夢に生命を狙われている恐怖、三人の子を生《な》しながら、どこかにぴったりしないところのある夫婦の仲、それはただ、又七がどこかに生きているという原因からきていたのである、しかして今こそ彼を突止めた。

辰次は小窓を離れると、庵の前へ廻ってがらりと雨戸を引明けながら、

「又七、神妙にしろ」

と叫んだ。

念仏の声がはたとやんだ、鑿を持った手がぴくりと顫えながら止まった。そして……又七の窶れ果てた顔が静かに振返った。

「誰だ……」

「目貫《めぬき》の辰だ、仕置場からの縄脱け兇状《きょうじょう》、今度あ免れねえぞ」

「辰、辰次か」

「神妙にお縄を頂戴《ちょうだい》しろ」

云いながら踏込んだ辰次、ぐいと又七の肩を摑む、右手に捕縄《とりなわ》を執っていきなりそこへ捻伏《ねじふ》せた。――長いあいだの木食精進、すっかり体の弱っている又七は、横鬢《よこびん》を床へすりつけられたまま、必死の声で、

「ま、待ってくれ、待ってくれ辰次」

と悲痛に叫んだ。

「どうか待ってくれ、なるほど私は仕置場から縄脱けをした、けれどもそれ以来頭を丸め、世を捨ててこの山の中へ引籠っている、ほかに何の望みもないが、仏師として世に遺《のこ》る仕事がしたかったのだ、あれから十五年、私は五智仏《ごちぶつ》を作ろうと発心して、見てくれ、ここに四体できている」

又七は顫える手で指さした、

「あと一体、釈迦如来《しゃかにょらい》の像もこのとおりもう少しで仕上るところだ、体もこのとおり弱っているし、五智如来すっかりできあがれば生きている慾《よく》もない又七だ、済まないがもう少し……この釈迦如来を彫りあげるまで待ってくれ」

「ならねえ！」

辰次は嘲《あざけ》るように頭を振った、

「お上から十手捕縄を預っているおれだ、兇状持を突止めて待てもくそもあるものか、いけねえと云ったらいけねえ」

「そこを押してのお願いだ、できないところだろうがせめてあと十日、いや……七日でもいい、昔の友達のよしみで、どうかしばらく待ってくれ、このとおり一生のお願いだ、これが仕上がれば必ずお縄を受けるから」

「諄《くど》い、この期《ご》に及んで虫の良い御託をぬかすな、さあ、神妙にしろ」

喚《わめ》きざま又七の腕を捻上げる。

「うっ！」

又七は歯を嚙鳴《かみな》らした、

「た、辰次――それじゃあ、どうでも待てねえのか」

「知れたことだ、野郎動くな」

「あ、うぬ！」

凄《すさま》じく呻《うめ》いて、はね起きようとする腰骨、辰次はぐいと膝頭で殺して、素早く縄を打とうとした、とたんに、

「おまえさん、待っておくれ」

と叫びながら、駈《か》け込んで来たお由美、あっ！　と驚く辰次の利手《ききて》を摑んで、女ながらも懸命の力、だ！　と又七から引き放す、

「て、手前——お由美」

とよろめく辰次の前へ、お由美は又七を背に囲ってすっくと立った。

「ようすは表で聞きました」

お由美は蒼白《あおじろ》い顔できっと云う、

「七日のあいだ待てというお頼み、どんな鬼だって待てぬと云えるところじゃあありません、お前さん、私からもあらためてお願い申します、どうか待ってあげてくださいまし、もし、それでもいけないと云うなら、お由美を先に縛ってください、又さんが兇状持になったのも、もとはと云えばこの私から起ったこと、お由美もともにお縄をいただきます！」

凛《りん》と云い放ったお由美の眉《まゆ》には、一歩も動かぬ決死の色が泛《うか》んでいた。

辰次は茫然《ぼうぜん》と手をおろした、暗澹《あんたん》たる部屋の中に、しばしは三人の荒い息吹だけが聞えていた。お由美はやがて、

「お前さん」

と低く哀願するように云った、

「待ってあげてくださるでしょうねえ」

「…………」

辰次は不意に、そっぽを向きながら頷《うなず》いた。

「ああ、待ってあげてくださるんですね」

「仕方がねえ、お前までがそう云うなら、七日のあいだ待ってやろう」

「ほ、本当か、ああ、ありがたい」

又七は狂喜しながらひれ伏した、

「ありがたい、このとおりだ辰次。このとおりだ」

辰次は苦しげに外向《そむ》いた。

――やっぱりお由美は俺のものじゃあなかった。

今は悲しい諦《あきら》めが、烙印《らくいん》のように生々しく心に彫り込まれたのだ。辰次はそっぽを向いたまま捕縄を納《しま》うと、どこか淋《さび》しげな身ごなしで帯を締め直した。

辰次は外向いたままで、

「おらあこれから江戸へ行って、召捕りのお差紙をいただいて来る。後のことはお由美、おめえに任せるから万一にも逃がさねえように、側《そば》を離れず付いていろ」

意外な言葉に驚くお由美には眼もくれず云った。

「往復六日路、七日めに帰って来るから、それまでに仕事をしまっておきねえ」

「辰次……この恩は忘れないぞ――」

「お由美、又七の体あおめえに預けたぜ」

「それじゃあ私はここに」

「七日のこった、ぬかるなよ」

云い捨てると、辰次は、何やら云いたげなお由美には、見向きもせず、庵をとびだしてそのまま山を下りて行った。

後に残った二人は、しばらくそのまま身動きもせずにいた、不思議な運命《めぐりあわせ》である。

十五年という年月は短くはないが、なんという男の変りようであろう、地獄絵にある餓鬼のように痩せ細った体、四十そこそこの身で、髪は灰色になり、眼は落ち窪《くぼ》み頰はこけ、これが生きた人間かと疑われるばかりのありさまであった。

「又さん、済みません」

お由美は破《わ》れるように叫んだ。

そして又七の前へ崩折れながら、両の袂《たもと》に声を包んでせきあげた。

「おまえを、こんな姿にしたのも、みんな、みんな私という者がいたからです、堪忍《かんにん》してください、赦してくださいまし」

「いいよいいよ、お由美さん」

又七は静かに頷いた、

「もう済んだことだ、こうなるのもみんな約束ごとなんだ」

「あれから十五年、辰次もずいぶん苦しんでいました、どんなに苦しんでも足りない罪、天罰のないのが不思議なくらいですが……その罪も素はと云えば私にあるんです」

「分っているよ、私も辰次のしたことを知った時は、七生まで崇《たた》って怨《うら》み殺してやろう……とまで考えた」

「よく分ります、無理もありません」

「しかし、不思議に生命を助かってみると、そんな怨みよりも大事な仕事があるのに気付いたのだ。辰次を一人殺したって何になる、それより千年の後まで遺る立派な仕事をして、御利生で助かった生命を終ろう、そう決心をしたんだ」

又七の声には力が出てきた、

「見ておくれ、十五年のあいだ木食をしながら、私はこの五智如来を彫った、この一体が仕上がれば、私はいつでも悦《よろこ》んで死ねる、私の体は死んでも、この五智如来は遺るのだ、仏師又七の名は千年経っても亡《ほろ》びる時はないのだ」

「又さん！」

お由美はそれを遮《さえぎ》った。

「どうかここを逃げてください」

「逃げろ？……何のために逃げるのだ」

「うちの人は戻って来ます、辰次はおまえが生きているあいだは安心できない、きっと戻って来ておまえをお縄にします、どうか今のうちに逃げてください」

「私は逃げない、もう逃げる要はないのだ、七日のうちに残りを仕上げれば、神妙にお縄をいただくつもりだ。今の私には、これ以上生き延びる気持は少しもないのだ」

「そう云っても私の気が済みません」

「お由美さん」

又七は静かに笑いながら、

「打明けて云ってしまうが、又七は怨むどころか、今では辰次のしてくれたことをありがたいと思っているのだよ」

「それは、どうしてです」

「あんなことがなければ、私は一生駄物《だもの》彫りで終ったかも知れない、それが自分でも許すことのできるこれだけの名作が彫れた、それはみんな辰次のお蔭《かげ》だとも云えるのだ」

「まあ、そんなにまで……」

「五智仏を仕上げた後を、どうして送ろうかと案じていたが、どうやらこれで先途もきまった、これからはもう安心して最後の鑿が握れるのだ」

又七はそう云うと、鑿と小槌《こづち》を執ってよろめく足を踏しめながら立上った。

四

それからちょうど七日めである。

お由美の悲しい介添で、ろくろく夜の眼《め》も合さず仕事を続けた又七は、六日めの夜から明けがたかけて手を休めずに仕上げを急いだ。

「……能以無畏《のういむい》。施《せ》於衆生《おしゆじよう》。汝等若称名者《によとうにやくしようみようしや》。於此《おし》怨賊《おんぞく》。当得解脱《とうとくげだつ》」

誦経《ずきよう》の声だけが、陰々として庵の闇《やみ》に流れている、お由美は隅《すみ》にい竦《すく》んで、まるで後光でも射《さ》すような又七の姿を見戍《みまも》っていた。時は経っていった、戸外の闇はいつともなく薄白んで、谷あいから這上《はいのぼ》ってくる霧が、小窓を忍び込んで、燈明の火にもつれたのもしばし、やがて東のほうから赤々と朝日の光がさしはじめた。

最初の日光がさっと流れた時である、仕上げ鑿を控えて二三歩さがりながら、じっと仏像をみつめていた又七は、

「——できた」

と云って鑿と槌を取り落した。

「できた、できた」

狂気のように顫《ふる》える叫びだった、お由美は引摺《ひきず》られるように立って、

「又さん」と呼びかけた。

「お由美さん、見ておくれ、五智仏全部できあがったよ、十五年がかりの仕事が、これでようやく仕上ったのだ」

「——」

「ありがたい、ありがたい」

又七は溢れくる涙の中から叫んだ、

「みんな御仏《みほとけ》の御加護だ、南無観世音菩薩」

唱名念仏をしながらひれ伏した。

お由美は胸へつきあげてくる感動に、思わず又七の側へ駈け寄ろうとしたが、その時、庵の外へ二三人の人の跫音《あしおと》が近づいて来るのを聞きつけ、はっとしてそこへ立竦んだ。

「ここか――」

外で声がして、雨戸を叩く音。

「はい」

と答えてお由美は雨戸を明けた。

表には顔見知りの町廻り同心、森内忠蔵《もりうちちゅうぞう》と組下の一人、横手に辰次が面を伏せて立っていた。お由美を見ると森内忠蔵が、

「仏師又七はいるであろうな」

「――はい」

「通るぞ」

と云って内へ入った。二人もそれに続いてあがる、お由美は先へ廻って、ひれ伏している又七の耳へ唇をつけるようにしながら、

「もし、お役人衆が見えました」

と囁《ささや》いた。

又七は唱名念仏をやめてお由美の顔を見たが、その意味を覚《さと》ると、静かに頷いて衣《え》紋《もん》をつくろいながら向直った。

「私が又七にござります。お手数をかけて申訳ござりませぬ、おいでをお待申しておりました、どうぞお縄を……」

森内忠蔵は頷いて顔をやわらげ、

「神妙じゃ、いまお上のおたっしを申聞かしてやる、慎んで承わるがよい」

「恐入りまする」

「そのほう儀、お仕置場より縄脱けを致したる大罪、屹度《きっと》お咎《とが》めにも及ぶべきところ、磔刑柱に架かりながら不思議に処刑を免れ、その後出家致し、道心堅固に木食をしつつ五体仏を彫り上げし趣、奇特の至り、かつは一度刑を行われたる者なるによって、とくに思召《おぼしめ》されるところこれあり、前の大罪御赦免遊ばさる、以後お構いなし——とあるぞ、ありがたくお受けを致すがよい」

「な、なに、御赦免……」

のけぞるばかりに驚く又七、お由美も我知らず膝を乗出した。森内忠蔵は頷いて、

「なお、これはいまだ御内定であるが」

とやさしく云った。

「芝高輪《たかなわ》に一寺を賜《たまわ》り、そのほうの彫った五体仏を安置し、生涯《しょうがい》その寺の住職を申付けられるとの御内意だ」

「おお」

「仏を運ぶ人夫諸費用、お上の御差配とまでだいたいきまっているぞ」

重ね重ねの意外さに、又七よりもお由美のほうが夢かとばかり呆《あき》れた。

努力は酬《むく》いられた、雪《そそ》がずして自《おのずか》ら冤《えん》は雪がれた、悲喜感慨むらがり起って、又七はとみに答える言葉もなく、そこへ平伏して咽《むせ》びあげるばかりだった。――ようやく昇りはじめた朝日の、活々とした清新な光が、小窓からさんさんと射し込んで、又七の灰色の髪を円光のように照していた。

森内忠蔵の言葉どおり、又七の五智仏は江戸へ運ばれ、高輪の普賢寺へ納められた。そして又七は木食但唱《たんしょう》と名乗って終生その寺の住職として過したという。――辰次はまもなく御用聞きをやめ、裏店《うらだな》へ引込んで担《かつ》ぎ八百屋になったが、夫婦仲は見違

えるように良くなり、それからまた一人子が生れて、まず安楽に世を送ったと伝えられている。

（「富士」増刊号、昭和十一年十二月）

# 武道宵《よい》節《ぜっ》句《く》

一

——飢えて窮死するとも、金一両はかならず肌《はだ》に着けておくべし。武士の嗜《たしなみ》なり。

父は生前よくそういっていた。三樹八郎《みきはちろう》はいま、金一両と四五枚の銭を手にして、父の言葉を思い出しながら我知らず太息をついた。

——渇《かつ》しても盗泉の水は汲《く》まず、貧にして餓死するはむしろ武士の本懐なり。

これも父の言葉である、だからこの家では、どんな困ったことがあっても、太息をつくなどということはかつてなかった。——厨《くりや》でことことと俎《まないた》の音をさせていた妹の加代《かよ》は、珍しい兄の太息を聞いて、

「お兄さま、どうか遊ばしまして?」

と声をかけた。

「うん? いやなんでもない、腹が空いたので御馳走《ごちそう》を待ち兼ねているところだ」

「まあいや、……この膾《なます》ができるとすぐですわ、もうしばらく我慢をあそばせ」

「ではお雛様《ひなさま》へ燈《あかり》でもあげるか」

三樹八郎は金を納《しま》って立上った。ひどい貧乏の中にたった一組だけ残った内裏雛《だいり》と、

橘《たちばな》、桜、雪洞《ぼんぼり》が二つという、淋《さみ》しい雛壇に燈を入れる、——昔を思うと夢のようだ。七百石《こくお》御槍奉行《やりぶぎょう》まで勤めた家柄《いえがら》とて、十五畳の間を半ば占めた豪華な雛壇、近親知友を集めて宵節句《よいぜっく》を祝った当時に比べると、本当に夢のような変りようである。

兄妹の父村松将太夫《むらまつしょうだゆう》が、老職と意見の衝突をして小笠原志摩守《しまのかみ》を退身してから十五年、二君に見《まみ》えずと云《い》って清貧のうちに父は死し、母も五年以前に父を追って逝《い》った——それから今日まで、三樹八郎は兄妹の運命を開拓するために、寝食を忘れて活躍してきたが、梶派《かじは》一刀流免許皆伝の腕前も、仕官の途《みち》がなくては役に立たず、——まあ、どうにかなるだろう。

いくら急《せ》いても相手のない相撲は取れぬと、父とは反対にしごくのんびりとかまえていたが、ついにどうにもならず今宵に及んだ。——言葉どおり、実際もうどうにもならぬのだ、今夜は雛祭りの宵節句で、少しばかりの馳走を調えたが、それは兄妹の最期《さいご》の晩餐《ばんさん》のつもりである。夜半になったら、妹を刺し、自分も屠腹《とふく》して潔《いさぎよ》く世を辞そうと覚悟していた。

「はい、お待遠さまでした」

加代が支度のできた食膳《しょくぜん》を運んできた。

今日は二人とも久方ぶりで風呂を浴び、加代は貧しいながら髪化粧をしている。乙女十九、幸い薄く育ったが備わった品位と美しさは、兄の眼《め》にも惚《ほ》れ惚《ぼ》れするくらいだった。

「今宵の主《あるじ》はおまえ、……さあ酌《しゃく》をしてあげよう」

三樹八郎は白酒の瓶《びん》子を取った。

「いやですわそんな、どうぞお兄さまからお先に」

「三樹の祝いは端午、今夜はおまえのお相伴《しょうばん》だ、遠慮をすることはない、さあ」

「では——」

加代は羞《はじら》いながら土器《かわらけ》を手にした。

端午といったが、明けるを待たで死ぬ二人である。貧乏のなかにも、兄に頼りきっている加代が、何も知らずに、軽く噎《む》せながら白酒を啜《すす》る姿……可哀《かわい》そうに、思わず胸へ熱いものがつきあげてきた。

「まあ、お兄さま！」

加代は、兄の悲しげな顔つきを認めて、どうしたのかと不審そうに、

「今日はどうか遊ばしたのではございませんの？　何だかとてもお悲しそうに見えますけれど」

「そんな馬鹿《ばか》なことがあるか」

三樹八郎は慌《あわ》てて打消したが。——しかし、何も知らせずに死なすより、いっそすべてを話して武士の娘らしく自害させるほうが本当ではあるまいか、とも考えたので、

「じつは加代、おまえに話がある」

「——はい」

「今宵の祝いはな……」

云いかけた時だった、間近の戸外に当って、突然はげしい人の跫音《あしおと》と、

「えいッ」

「えいッ」

引千切るような、切迫した掛声が聞え、かっかっと剣の触合う音さえする。——三樹八郎は手を伸ばして大剣をひっ摑《つか》むと、

「加代、燈を見せろ」

そういって立った。

そこは浅草天王閻魔《えんま》の裏手に当り、浪宅は空地端《はず》れの竹藪《たけやぶ》の中にある、——雨戸を開けて出た三樹八郎、うしろから加代が差出す燈に透して見ると、藪の前のところで七八名の武士が、一人の若侍を中に取詰めている。

「あ、危い、お兄さま！」

加代の叫びを背に、三樹八郎は裾《すそ》を翻《ひるがえ》してその場へ駆けつけた。

二

「物申す、果合《はたしあ》いか、ただしは喧嘩《けんか》か」

声をかけると、取囲まれた若侍が、

「や、闇討《やみうち》を、かけられました、御、御助勢を……御加勢を――」

悲痛に叫んだ。

「心得た、助勢するぞ！」

答えて出る、右にいた二人が、

「ええ素浪人、邪魔するなッ」

「かまわぬ、そやつも斬捨《きりす》てろ」

喚《わめ》きながら、さりとは無法な、相手の腕をたしかめもせずいきなりだっと斬りつけた、三樹八郎は避《よ》けもしなかった。

「――馬鹿者！」

という絶叫とともに、きらり大剣が空を截《き》ったと思うと、二人の暴漢は、

「あ！」「うッ」

諸声《もろごえ》に悲鳴をあげながらけし飛んだ。そして三樹八郎は、跳躍しつつ、若侍を取囲む一党の背後へ、

「野良犬ども、一人も逃さんぞ」

と叱呼《しっこ》して斬込んだ。

宝の持腐れであった梶派一刀流、しかも今宵は死ぬと覚悟がついているから、その勢いの凄《すさま》じさはまったく鬼神ともいうべく峰打《みねうち》ではあるがたちまち四五人ばたばたと撃倒《うちたお》した。――とても敵する相手ではないと見たのであろう。

「手強《てごわ》いぞ、退《ひ》け、引上げろ」

頭分《かしらぶん》らしい一人が叫ぶと、残った者たちはさっと闇の中へ逃散って行った。――三樹八郎はそれでも油断せず、しばらく四辺《あたり》のようすを窺《うかが》っていたが、もう不意討ちを掛ける者もなしと見届けたので、

「もうようござろう」

と振返る。と、若侍はそこに倒れて失神していた、――抱き起してみると、左の肩口を強か斬《したた》られている、しかし多少出血がひどいというだけで致命傷ではない。

――気の緩みで失神したな。

三樹八郎は剣を納めると、若侍を抱き上げて浪宅のほうへ戻った。――門口に、燈

を差しつけながら震えていた加代は、

「お兄さま、お怪我《けが》は……？」

「おれは大丈夫だが、この人が傷をしている、手当をするから湯を沸かしてくれ」

「はい」

「それから清潔な布と、巻木綿があったはずだな、それから金瘡薬《きんそうやく》を」

「はい」

三樹八郎は若侍を座敷へ運んで、加代に手伝わせながら手負いの着物を引裂いて傷を検《あらた》め、沸かした温湯で拭《ぬぐ》いはじめた。――その痛みで気付いたのだろう、

「――うっ」

低く呻《うめ》いて眼を明いた若侍は、

「おう、は、春枝《はるえ》……春枝」

と苦しげに叫んで起上ろうとする。

「動いてはいかん、静かに」

「春枝を、ああ、春枝が斬られる、早く、早く助けて、妹を――妹を……」

「しっかりなされい、それはどういうわけだ」

三樹八郎が耳許《みみもと》で叫ぶと、若侍はようやくはっきり覚めたらしく、いきなり三樹八

郎の手を摑んで、

「妹をお助けください、妹も彼らに斬られます、どうぞ早く、榧《かや》寺の榧の木……」

そこまでいうと、若侍はふたたびがくりと気絶してしまった。——妹が殺される、
この一言が三樹八郎を起《た》たせた。

「加代、この人を頼む、出がけに医者を呼んで行くから、しっかりと預るのだぞ」

「——はい」

「おまえも武士の娘だ、見苦しい振舞いはすまい、いってくるぞ」

云い捨てて三樹八郎は外へ。

榧寺というのは俗称で、本当は正覚寺といって黒船町にあり、境内《けいだい》に榧の巨木があるところからそう呼ばれている、——三樹八郎は医者を頼んだその足で、宙を飛ぶように正覚寺へ駈《か》けつけた。

山門を入るとすぐ鐘楼、そこを方丈のほうへ曲ると右手に有名な榧樹が立っている。——その木蔭《こかげ》に、男女二人の影をみつけたので、間に合ったと、ほっとしながら近寄り、

「失礼ながら御意《ぎょい》を得る」

声をかけて近寄った。——相手は武家の娘とその下僕らしい老人、不意に現われた

三樹八郎を見ると、きっと身構えをしながら後へ退《さが》った。……こっちは気が急いているから、

「思いがけぬ事情にてそこもとのお兄上と会いましたが、ここにいては危いと申される、すぐ拙者の家までお運びなさるよう」

「――――」

「さ、早くせぬと曲者《くせもの》が参ります」

なおも側《そば》へ寄って急きたてようとすると、下僕が血相を変えて立塞《たちふさ》がった。

「ええ寄るな、そんなうまいことを云って、きさまは湛左衛門《たんざえもん》の一味であろう、――お嬢さま、爺《じい》がここを引受けますで、あなた様は早くお逃げなされませ」

三

「馬鹿なことを申せ、拙者は今」

「ええいうな！」

一徹者と見えて、下僕はいきなり腰の木刀で打ってかかった。――誤解である、しかしどういい解く術《すべ》もない。

「これ乱暴するな、きて見れば分る」

「お嬢さま早く、お逃げなされませ」

必死に打ちかかりながら叫ぶ。娘がその声に励まされて二三間走りだした時、暗がりから現われた五六名の武士、いずれも覆面したのがぐるりと娘を取巻いた。

「あれ、爺やッ」

悲鳴をあげて逃げようとするのを、一人がぐっとひっ抱える。残り四五人はこっちへ走ってきて、

「斬ってしまえッ」

と抜伴《ぬきつ》れて取り囲んだ。——三樹八郎はいま娘の悲鳴を聞いたので、しまった！と助けに行こうとするが、下僕の勢いが案外に鋭く、右へ左へあしらっているうちにこの始末だからもうこれまでと大剣を抜いて、

「よしこい、正邪を定《き》めるは剣一本、後悔するな」

叫ぶとともに、

「えいッ、や!!」

猛然と踏込んだ。相手はしばらく支えていたが、そのうちにぱっと四方へ逃去ってしまう、三樹八郎は脱兎《だっと》のように、娘の悲鳴の聞えたほうへ走って行ったが、そこにはすでに人の影もない。

「ちェッ、しまった」

気もそぞろに、境内を走り廻ったけれど、早くも曲者たちは娘を掠《さら》って逃げたらしい、どこにも一人の姿もみつからなかった。

「おのれ！　お嬢様をどこへやった」

下僕の老人が狂気のように詰寄ってくる、三樹八郎はその手を摑んで引寄せ、

「ええ鎮《しず》まれ、そのほうが勘違いをしたばかりに、頼まれてきたのが空になった、今こそいうが、そのほうの主人は斬られたのだぞ」

「え　わ、若旦那《だんな》様が……」

「命には別状ないが、いま拙者の家で手当をしているところだ、真偽のほどはきて見れば分る」

「それでもお嬢様の身上が」

「いや、掠って行くからはすぐに斬ることもあるまい、仔細《しさい》を聞いたうえで拙者がどうにもいたそう、とにかく参れ」

三樹八郎は下僕を促して帰った。

浪宅では、医者の手当を受けてすっかり元気を取戻した若侍が、加代の拵《こしら》えた温粥《ぬるがゆ》を啜っているところだった。下僕は狂喜して、ほとんど泣きながら、

「若旦那様、あなたはまあ……」

とすりよった。

「爺か、春枝はどうした」

「それは拙者が申上げよう」

三樹八郎が側から始終を話して、

「と申すわけで、この老人の誤解とはいいながら、妹御をやみやみ敵手に奪われ、なんとも申訳がござらぬ、——ついては今宵のことの仔細、とくとお話しくださらぬか、拙者身に代えてもかならず妹御をお救い申上げるが」

「かたじけのうござる、お言葉に甘え何もかもお話し申す、お聞きください」

若侍は膝《ひざ》を正して語りだした。

彼の名は山県銀之丞《やまがたぎんのじょう》という。大垣《おおがき》の石川備前守《いしかわびぜんのかみ》家臣で、父を珂《か》右衛門《えもん》といい、五百石で国許《くにもと》勘定役を勤めていた。同じ家中《かちゅう》に剣術指南番で金丸《かなまる》湛左衛門という者がいて、これが銀之丞の妹春枝を嫁に望んできたが、良からぬ人物なので断ったところ、無法な金丸は——他にも不首尾なことがあって大垣藩にいられなくなった時のこと——珂右衛門が主君から預っていた菊一文字の短剣を盗んで逐電《ちくてん》した。

その短剣は石川家の重宝であるため、珂右衛門は役目の落度として閉門を申付けられ、三年以内に取戻せばお咎《とが》めなし、もしそれができなかった場合には切腹という厳命が下った。――そこで銀之丞は妹と下僕六平《ろくべい》を伴れて大垣を立退《たちの》き、諸国を廻ること二年有半、江戸へ出てからもすでに六十余日を費したが、辛苦艱難《かんなん》の甲斐《かい》あって、金丸湛左衛門が、赤星《あかぼし》湛左衛門と変名、浅草鳥越《とりごえ》に剣術指南の道場を開いていることを突止めた。

「右の次第にて、今日妹と六平を榧寺に待たせおき、拙者一人にて道場へ乗込みましたところ、かえって三十余名の門人たちに取囲まれ、危くここまで逃げ延びて参ったのです」

「そうであったか、――」

三樹八郎は低く嘆き声をあげた。自分たち兄妹こそ悲運の者と思っていたのに、ここにもまた悲しい運命の兄妹が命を賭《と》して生きているのだ。

「赤星湛左衛門、――たしかにおりますな、無念流の達者で、鬼の湛左と評判は聞いている。よし、山県氏《うじ》御安心なされい、妹御は三樹八郎がたしかにお救い申すぞ」

「しかし相手は多勢の門人もおり……」

「なんの、邪悪の剣が何千あろうと、正しき武道をもって臨むに何の怖るることがあろう、――日月我が上にあり！」

三樹八郎は決然と起った。

四

赤星湛左衛門は、離室《はなれ》の広間で門人二十五人を相手に、満悦の酒宴を張っていた。彼の傍《かたわら》には、銀之丞の妹春枝が、後手に縛られて、くずれ牡丹《ぼたん》のように嬌《なま》めかしく打伏している。さし伸ばされた雪のような項《うなじ》にかかる後毛《おくれげ》、唇《くちびる》を喰《く》いしばって外向《そむ》けた横顔の美しさ……いまの湛左衛門にとってこれ以上の肴《さかな》は無かった。

「夢にまで見た梨花《りか》一枝《いっし》、こう易々《やすやす》と手に入ろうとは思わなかった」

湛左はにやり娘へ一瞥《いちべつ》くれながら、たばさんだ腰の短剣をぽんと叩《たた》いて、

「それもこの菊一文字の御利益《ごりやく》よ、さすがに名刀の徳は争われぬ、今宵は宵節句でもあり三年の宿願も協《かな》い、吉瑞《きちずい》一時に到るというものだ、みんな愉快に思う存分やってくれ」

そう云ってかかと大笑した時である。広縁に面した障子がさっと明いて、――花片《はなびら》を散らしながら一枝の満開の桃が、湛左衛門の前へ風を切って飛んできた。

「その梨花一枝、こっちへもらうぞ――宵節句の祝いには桃をやる、不服はあるまい！」

叱呼しながら入って来た三樹八郎。――襷《たすき》、汗止め、袴《はかま》の股立《ももだち》をしっかりと取って、愛剣包光《かねみつ》二尺八寸を右手に傲然《ごうぜん》と突立った。

貧に窮して自殺する命、銀之丞兄妹のために捨てるのは覚悟のうえだ。今日まで世に出る機会もなく、屈しに屈していた英気が、今こそ奔流のごとく切って放されたのだ。

「あ！　天王裏の素浪人だ」

門人の一人が叫んで、抜討ちに斬ってかかるやつを、ひっ外しておいて、

「えいッ」

逆胴を強《したた》か斬り放す。がらがらッ、燭台《しょくだい》と膳部を踏砕きながら、悲鳴とともに顛倒《てんとう》するのを見て、

「やったッ」

「狼藉者《ろうぜきもの》、斬ってしまえ」

「逃がすなッ」

わっと一座は総立ちになった。――荒道場と名うての面々、酒の勢いもある、二三本の白刃《はくじん》がだっと一時に殺到する。

「心得た、それッ」

三樹八郎は右へ、大きく跳躍したが、とたんに足を返して、

「ヤッ、えいッ」

一閃《いっせん》、また一閃。

「む——」

「がっ」

真向《まっこう》と脾腹《ひばら》を存分に斬られて、二人の躰《からだ》が毬《まり》のように飛ぶ、と見た次の刹那《せつな》には、三樹八郎の躰は左手の一団のまったただ中へ、

「え——ッ、とう!!」

と斬込んでいた。

湛左衛門は総身の震う激怒に襲われていた。立向っていく門人が、まるで草を薙《な》ぐようにばたばた斬り伏せられる、しかもみな一刀、急所を外さずずばッ、ずばッ、とやられるのだ、その殺気の凄じさと、太刀捌《さば》きの正確さ、——自分もできるだけに、湛左衛門は無上の辱《はずかし》めを受ける気持だった。

「みな退《ひ》け、みな手を退けッ」

喚いて立った湛左、三尺一寸無反《むぞり》という、まるで天秤棒《てんびんぼう》のような強刀を抜いて、

「そいつはおれが料理《や》ってやる、人を斬るのはこうするのだ、見ておけ」

といいながら進み出た。――門人たちは、すでに十八人を斬られて闘志を失っていたところだから、湛左の声を聞くまでもなく広縁のほうへ退いた。三樹八郎は、娘のいる床間を背に、呼吸をととのえながら、

「ほう、人の斬りかたを教えてくれるか、鬼の湛左の無念流、どう斬るかしかと拝見しよう、――さッ」

ぐっと大剣を差出す。

「その頰桁《ほおげた》、忘れるな、行くぞ!!」

「――おう」

湛左は上段にとった、三樹八郎は青眼、――さすがに門人たちとは段違い、無反の強刀は満々たる殺気を含んで、一撃断鉄の機を狙《ねら》っている。

しかし勝負は一瞬にして決した。

――斬れる!

と思った三樹八郎が、青眼の籠手《こて》をつと右へ外すのと、湛左が大きく踏出しながら、

「いぇいッ」

「やあッ」

絶叫して斬り下すのとほとんど同時。あっと見た刹那! 三樹八郎は右へ躰《たい》を開い

ていたし、湛左は、斬り下した躰勢のまま、だっと床間へのめって行って、掛軸を右手に引搓《ひきむし》りながら、まるで濡《ぬ》れ雑布巾《ぞうきん》のように崩れ落ちる。——半ば斬り放された頸《くび》根《ね》から迸《ほとばし》り出る鮮血が、揉《も》みしだかれた掛軸の白を鮮かな紅に染めていった。

五

菊一文字の短剣と、春枝を援《たす》けて三樹八郎が道場を出る、——足早に四五間行くと、

「お兄さま……」

声をかけながら、向うから妹の加代が走ってきた。

「加代ではないか、どうした」

「山県さまも御一緒に」

というところへ、老僕六平が付添って駕《かご》がきた、中から半身を乗出すようにして、

「村松氏、御無事か」

と銀之丞、——見るより春枝は走りよって、

「兄上さま」

「おお春枝、そなたも無事でか」

「村松さまのお蔭で、菊一文字の御刀も取戻すことができました」

「おお!」

妹の肩を抱き寄せた銀之丞、万感を双眸《そうぼう》に籠《こ》めて、無言のまま三樹八郎の顔を仰見《あおぎみ》るばかり、——どんなに嬉《うれ》しいか、三樹八郎にはよく分る、父の命を賭《か》けた三年の辛苦が酬《むく》われたのだ。兄妹揃《そろ》って、今こそ晴々と故郷へ帰れるのだ。

「短剣をお渡し申す」

差出すのを、受取った銀之丞は鞘《さや》を払って検めたが、

「たしかに、たしかに菊一文字、……これで父の命も助かり、山県の家名も相立ちます。——村松氏、お礼は申上げぬ、ただ拙者の胸中……お察しくだされい」

「お察し申す、礼などは素よりいうに及ばぬ、これもみな貴殿御兄妹の孝心を、武道の神が護《まも》られたのであろう、祝着《しゅうちゃく》に存ずる」

「ただかくのとおり」

駕の中で銀之丞が低頭すれば、妹春枝もまた、白い手を地について啜《すす》りあげた。

「かく本望を達したうえは、一時も早く故郷へ立帰り、父をも安堵《あんど》させ、殿の御意をも安んぜとうござる、まことに礼を知らぬいたしかたではござるが、ここでお別れ申します」

「しかしこの夜中では……」

「いや、夜中ながら、もはや一刻も惜しく、また湛左衛門の件について、貴殿に御迷惑がかかってはなりません、これより江戸邸《やしき》へ参って始末のことを頼み、すぐ国許へ出立仕《つかまつ》ります」

「なるほど、お心急《せ》くのも道理、では……途中気をつけて」

「お傷を御大切に」

側《そば》から加代も名残惜しげに云った。——春枝は堪《たま》らなくなったのであろう。いきなり加代の胸へ縋《すが》りついて、

「あなたのお兄さまのお蔭で、兄もわたくしも命拾いをいたしました、たとえ遠く離れても、この御恩は決して忘れませぬ」

「そんなことはお案じなさいますな、それよりどうぞ銀之丞さまをお大事に」

「あなたもお兄さまを、どうぞ御大切に」

互いに労《いた》わりあう乙女心の、なごやかな優しさが、この殺伐な場面に一脈の色彩を添えるかに見えた。

「さらば、必ずまたお眼《め》にかかりましょうぞ」

別れ行く駕の中から、銀之丞が意味ありげに言葉を遺《のこ》した。

三樹八郎と加代は、それを見送ってから家へ帰った。——夜はすっかり更《ふ》けて、浪

宅を取巻く藪が、さやさやと静かに風の音をたてている。

「宵節句の馳走が、思わぬことですっかり邪魔をされた、おまえもおなかが空いたであろう、三樹もぺこぺこだぞ」

「でも嬉しそうでしたことねえ」

「うむ」

三樹八郎は太息をついた。――あの兄妹にはふたたび春がめぐってきた。しかし自分たちの運命は依然として動かない、やはり妹を刺して自殺するより他に道はないのだ。

「では御馳走のやり直しをいたしましょう」

そういって立上った加代は、ふと――足許に紫色の袱紗包《ふくさづつみ》が落ちているのをみつけた。

「あら、こんな物が……」

「なんだ」

「家のではございませんわね」

拾いあげた袱紗包の下から、一通の手紙が現われた、取ってみると、

銀之丞より

村松殿

と認《したた》めてある。

「まあ、お兄さま、山県様のお手紙が添えてございますわ」

「見せてくれ」取る手遅しと披《ひら》いてみると、

——今宵のこと、御礼の言葉もありません、別包の金子は旅費の残り、失礼ながら寸志としてお受取りください。申上げては却《かえ》って御受納くださらぬと存じ、はなはだ無躾《ぶしつけ》ながらそっと置いて参ります。お心置きなくお使い捨てください。なお——帰国のうえは、藩へ御推挙を仕ります、このたびの御尽力、かならず御出世の途となりましょう、はばかりながら吉報お待ちください。

取急ぐまま以上、——と読むなり、袱紗包を明けてみると中から出てきたのは金子百両。

「おお！」

三樹八郎は思わず声をあげた。——加代も手紙を走り読みして、

「お兄さま、いよいよ御出世の時が参りました、永い御苦労の酬われる時が参りましたのね」

「おまえもそう思うか」

「山県様にして差上げたことは別ですわ、でも今夜こそお兄さまの本当の腕前が認め

られたんです、明日になれば、江戸中に村松三樹八郎の名が知れることでしょう」

そうだ、鬼の湛左以下十八名を斬った剣士、村松三樹八郎の名は一夜にして江戸市中の評判になるだろう。

「良い宵節句だった、なあ加代。明日はこれで充分に祝おうぞ」

三樹八郎は晴々と百両を投げ出した。——窮すれば通ず、村松兄妹の前にも、今こそ輝かしい道が拓《ひら》けた。


（「新少年」昭和十三年三月号）

# 一代恋娘

# 乱心

## 一

「ちょいとお亀さん、早く早く」

「何だえ騒々しい」

「早く出ておいで、水戸様のお通りだよ」

「おや本当かえ。お吉ちゃん、春さん、水戸様のお行列だとさ」

「あらどうしよう、あたしゃ未《ま》だこんな髪で」

「何を云《い》ってるんだね、水戸様がおまえの髪を御覧なさりゃしまいし、早く来ないと拝めなくても知らないよ」

姦《かしま》しく呼交わしながら、横抱きに子をひっ抱えた女房や、浮気な後家や娘たちが往来へとび出して行った。――敢《あえ》て女ばかりではない、表通りの両側は老若男女、犇《ひし》めくように押並んでいるし、辻番《つじばん》や町役は汗だくで、

「静かに静かに、立っちゃいけねえ」

「被物《かぶりもの》を脱《と》った、被物を」

「そう騒ぐと縛っちまうぞ」

などと制止に大童《おおわらわ》である。

水戸の若君吉孚《よしたね》の行列を観《み》ようとする群衆だった。——水府侯は御三家の中でも別格で、副将軍と云われていたがこんな気違じみた人気のあるのは其為《そのため》ではなく、当主綱条《つなえだ》の世子吉孚がすばらしい美男で、

——水戸の光源氏。

と、専《もっぱ》らの評判があったからだ。

水戸藩士の書いた家庭旧聞という伝記書の中にも、「世子恭伯君《きょうはく》、至極美麗なる御生れ付にて、其比《そのころ》天下第一と称し奉《たてまつ》り云々《うんぬん》」とある、副将軍三十五万石の公達《きんだち》で二十一歳、それで天下第一の美男というのだから人気のあるのも当然だろう。登城その他で行列が通ると、常に沿道は人垣《ひとがき》を築いたと伝えられている。

「やいやい、そんなに押すな」

「それでも見えねえから」

「見えねえッたって未だお先供が木戸へかかった許《ばか》りだ」

「己《おい》らあ行列じゃあねんだ」

「お行列でなくって何だ」

「知らねえのか、水戸様のお通りッてえと向う側の筆屋の前へきっと拝みに出る娘があるんだ。水戸様が光源氏ならその娘は照手《てるて》の姫か楊貴妃《ようきひ》かってえ美人なんだぜ」

「今頃《いまごろ》なにを云やアがる。あの娘なら町内で知らねえ者アねえや」

「そうか畜生、じゃみんな水戸様にかこつけてあの娘を拝みに来ていたんだな」

「うるせえ黙って見ろ、愈よ《いよい》御本尊のお出ましだ」

行列の先供が町内へかかった時、——いま噂《うわさ》の筆屋の前へ、小扇で顔を隠しながら一人の町娘がそっと現われ、慎ましやかに人々のうしろへ身を跼《かが》めた。年は十六七、眼許《めもと》に少し険はあるがずばぬけた美しさで髪飾も衣装も贅《ぜい》を尽しているし、いつも手代風の若者と乳母らしい女が附添っていた。もう半年以上にもなるだろう。吉孚の行列が通る時には必ずその場所へ現われる。町内の若者たちは直ぐに眼をつけて、何処《どこ》の娘かと色々探ってみたが、来る時も去る時も素早いのでどうしても身許が分らず、ただ日本橋辺の大家の娘という評判だけが、いつからとなく人々のあいだに伝わっていた。

やがて制止の声と共に行列が近づいて来た。

街の両側に犇めいていた群衆は、いずれも土下座をして鳴《なり》を鎮《しず》める。御槍《おやり》が通り、挟箱《はさみばこ》が通り長柄《ながえ》が過ぎ、続いて吉孚の乗物が静かに進んで来た。——残暑の強い日で、乗物の戸が明けてあったから、やや後へ背を凭《もた》せるように、端然と坐《すわ》っている吉孚の姿がよく見えた。

透徹《すきとお》るように白い頰《ほお》が、病身らしく薄すらと紅潮している。当時はまだ髪油の無かった頃《ころ》で、風に弄《なぶ》られた漆黒の後毛《おくれげ》が雪白の顔へはらはらとかかるのが凄《すご》いように美しかった。……斯《か》くて乗物が例の筆屋の前へさしかかった時、吉孚の眼がちらとその軒先の方へ向いた。

明らかに何かを期待するまなざしである。そして今しも人垣の中から昵《じっ》と見上げている娘の、燃えるような眸子《ひとみ》とぴったりと結び着いた、と見るとたんに、

「……!」

娘は低く叫んで、憑物《つきもの》でもしたようにふらふらッと立上った。——後に附添っていた乳母と若者が慌《あわ》てて、

「あれ、どうなさいます」

「お嬢さま!」

と、押えようとしたが、それより疾《はや》く、娘は人を掻分《かきわ》けて出るとそのまま、ばらば

らと走寄って吉孚の乗物へ縋《すが》りついた。——見ていた群衆はあっと色を変える。

駕籠《かご》脇《わき》の供侍は仰天して、

「や！　狼藉者《ろうぜきもの》！」

絶叫しながら突放した。

二

牡丹《ぼたん》の花がくずれるように、嬌《なま》めかしい衣装の紅がぱっと地面へ紊《みだ》れ這《は》った。然《しか》し娘は直《すぐ》にはね起き、狂ったように身を悶《もだ》えながら再び駕籠へ取付こうとする。

「控えろッ」

「無礼者——」

二三人の供侍が突放しざま捻伏《ねじふ》せた時、——乗物の中から、

「手荒に致すな」

と、吉孚の声がした。

「乱心したのであろう、労《いた》わって遣わせ」

「は、——」

侍たちは娘を押えたまま蹲《つくば》う、——娘は苦しそうに顔を振向け、歯を喰《くい》しばって眤

と、去って行く吉孚の駕籠を見送っていた。

前代未聞《みもん》の出来事である。

政治向の駕籠訴《そ》なら例の無い事ではないが、美貌《びぼう》と権勢天下第一と云われる副将軍の若君の駕籠へ、是《これ》また絶世の美少女が、衆人環視の中で取縋ったのだから、さすがに気の強い江戸市民も唖然《あぜん》とした。

最も愕《おどろ》いたのは町役たちで、

「さあ大変だ、うっかりすると此方《こっち》の首が危ねえぞ」

「何でもその娘を逃がすな」

血相を変えて取巻いた。——其処《そこ》へ、去って行った行列の中から、軽くない役柄《やくがら》と見える一人の武士が足早に戻って来て、

「これこれ、その娘は乱心したと見えるゆえ、労わって取らせろという御声掛りだ。手荒な事を致すな」

と、町役たちを鎮め、側《そば》におろおろしている手代風の若者に向って、

「其方《そのほう》は附添の者か」

「は、はい、手前主人の娘でございますが、真《まこと》に何とも申訳の無い事を致しました。お慈悲をもちましてどうぞ平《ひら》に御勘弁下さいますよう」

「乱心と見えるな、そうであろう」

「はい、お、仰《おお》せの通りでございます」

「住居《すまい》はいずれで何と申す」

「どうぞ何分ともお慈悲をもちまして」

「咎《とが》めるのではない、念のために聞置くのだ」

「主人は日本橋本町の唐物《からもの》商（貿易商）で奈良屋伝右衛門と申し、此方《こちら》は主人の娘お千賀、私は手代の吉造にございます」

「……奈良伝」

意外な、という表情をして武士は振返り、

「町役人、――駕籠を呼んで参れ」と命じた。

町役の一人が横っ飛びに走って行って駕籠を呼んで来ると、手代と乳母が娘を援《たす》け乗せるまで見届けて、

「若《も》し町方から何事か申して参るような事があったら、小石川御屋敷へ美濃部《みのべ》又五郎と云って訪ねて来るが宜《よ》い。取り計らって遣わすぞ」

「有難う存じまする」

「大切にしてやれ」

そう云って武士は立ち去った。

娘はまるで虚脱したような有様だった。自分のした事がどんなに人々を愕かしたか、周囲でどんな騒ぎが起ったか、どうして駕籠へ乗せられたか一切夢中で、ただ美しい眸子を大きく瞠《みひら》いたまま総身を震わせている許りだった。

一方、美濃部又五郎と名乗った武士は、小石川の屋敷へ帰ると直ぐ、老中松並勘右衛門の御小屋を訪ねた。

「御老中、途中の出来事をお聞きなさいましたか」

「いま但馬《たじま》から聞いたところだ」

勘右衛門は渋面をあげて、

「狼藉者に御声掛りがあったそうではないか」

「御憐憫《ごれんびん》の思召《おぼしめし》だったのでしょうが、若しやすると御見知りであったかも知れませぬ」

「……それは又、どうしてだ?」

「拙者立戻って取糺《とりただ》しましたところ、奈良伝の娘でございました」

「――――」

勘右衛門も意外だったらしい。――奈良屋は長年の水戸家御出入《おでいり》商人で、勘右衛門は殊《こと》に主人伝右衛門と昵懇《じっこん》の間柄であった。

「ではあのお千賀という娘か」

「左様でございます。この半年近いあいだ御行列の度毎《たびごと》に必ず同じ場所へ出て、御駕籠を拝しているのを拙者も気付いて居りましたが、奈良伝の娘と分れば、御老中にも御合点が参りましょう」

「それは、どういう意味だ」

「奈良屋で向島へ別墅《べっしょ》を建てました時、若君は両三日御滞在遊ばされし事がございます。尤《もっと》も御年少ではございましたが、その折御給仕に出ました娘へ、たしか御印籠《ごいんろう》を賜わったと伺いました」

「そんな事があったようだな」

「……途上で御駕籠へ縋り付くほど突詰めた恋慕、――恐らく命懸けでございましょう。若し」

と、云って又五郎は相手の眼を覓《みつ》めた。

「若し……御側へ仕える事が出来るとしましたら、恐らく娘は命を捨てて働きましょう、――下世話にも恋は人を盲目にすると申します」

「――そうか」と、勘右衛門は微《かす》かに笑った。

# 秋の花

## 一

かッ！

快い手応《てごた》えが毬杖《きゆうじよう》に残った。

——今度こそ！

吉孚《よしたね》は疾駆《しつく》する馬上で身を捻向けたが、白い曲線を描いて飛んだ毬《まり》は、殆《ほと》ど直前で毬門の右へ外《そ》れて了《しま》った。

——駄目《だめ》か。

腹立たしい気持で馬をかえして来ると、吉孚夫人は健康な美しい頰に皮肉な笑いをうかべながら、

「ほほほほ、すっかりお腕が鈍ってお了いになりましたのね。御覧遊ばせ、斯《こ》う打たなくては入りませんのよ」

そう云うと共に、手綱を緩めてぱっと馬腹を蹴《け》る。見事な馳《か》けで直走して行ったか

と思うと、右手を挙げ、半身を乗出すようにしながら颯《さつ》と毬杖を振った。

かッ！

的確な打撃である。毬は一文字に飛んで行ってするすると毬門へ入った。

「お見事でございます」

控えていた美濃部又五郎が、紅い勝振魔を振りながら云うのを聞捨てにして、夫人は吉孚の方へ帰って来た。

「如何《いかが》でございます」

「うまいな」

吉孚は馬首を回《めぐ》らせながら、

「けれど打毬《だきゅう》が上手であるより、女は琴でもうまく弾く方が愛らしいものだ」

「ほほほ、ではそういう者をお探し遊ばせ」

「――――」

吉孚は無言で柵《さく》の外に出ると、毬杖を捨て馬を下り、大股《おおまた》に泉亭の方へ向ったが、

――待っていた小姓が慌てて追って来ると、

「来ずとも宜いぞ」と、云って帰らせた。

病弱な吉孚に取って打毬（現今のポロの如《ごと》きもの）は唯一《ゆいいつ》の娯楽だったが、それも此《この》

頃《ごろ》は頓《とみ》に不得手になって、半年ほど前から始めた夫人八重子の方が遥《はるか》に上達して了った。――第一もう十球も打つと馬上にいられぬくらい体が疲れて来るのだ。健康そのもののような夫人には、それが物足りなくもあり、また不甲斐《ふがい》なくも見えるらしく、折に触れては皮肉な眼で良人《おっと》を嘲《あざけ》る様子があった。

夫婦とは名許《なばか》りであった。

八重子は将軍綱吉の娘として来たが、実は左大臣鷹司信熙《たかつかさのぶひろ》の姫で、元禄十一年、吉孚が十四歳の時、八重子は十歳で輿入《こしい》れしたのである。――当時、京から東国の諸家へ嫁《か》して来た婦人たちは、粗野な関東人を軽蔑《けいべつ》する癖があって黄門光圀《みつくに》でさえ其夫人には大分苦しめられた逸話が残っているくらいだ。

習慣の相違と、年少の頃から形だけ夫婦として成長して来た事などから、二人のあいだには愛慕の情というものが未《いま》だに湧《わ》いていなかった。

――淋《さみ》しい。

吉孚は此頃よくそう思う事がある。

そして、ふとしては眼にうかぶ俤《おもかげ》があるのだった。――他出の折には必ず或《ある》街上の、いつも同じ場所で自分の方を覓めている娘、町家の者らしいが風俗も卑《いや》しからず、憂《うれ》いを含んだ美しい眼をしている。いつからともなく、此方もそれに気付いてからは、その娘を見る事を期待するようになり、娘の艶々《つやつや》しく濡《ぬ》れたような眸子《ひとみ》に触れると、軽い胸のときめきさえ感じるようになった。

十日ほど前、登城しての帰途、娘は意外にも自分の駕籠へ縋《すが》り付いて来た。

——あの時の思い詰めた顔。

吉孚が折に触れて思い出すのは、その時の娘の俤であった。

「打毬はお止《や》めにございますか」

泉亭へ入ろうとした時、中庭口からそう云いながら松並勘右衛門が近寄って来た。——父の綱条も一目置いている老臣である。殊に吉孚は気の弱い質《たち》だったから、彼には必要以上に遠慮をしていた。

「どうも疲れていけない。我ながらこの弱い体には飽きが来たよ」

「御大切な御身ですから、御養生を遊ばさぬとなりませぬ。打毬などは些《いささ》か過激かと存ぜられまする」

「——もう止める積りだ」

「それが宜《よろ》しゅうございますな」

勘右衛門は頷《うなず》いて、

「薄茶を立てさせましたゆえ、おしめし遊ばしませぬか」

「渇いて居る、貰《もら》おう」

「――これ」

勘右衛門が振返って呼ぶと、静かに天目《てんもく》を捧《ささ》げて一人の腰元が入って来た。――吉孚は腰掛けたまま受取ったが、何気なくその顔を見て思わずあっと声を出しそうにした。

「芙蓉《ふよう》と申します」

勘右衛門が側から云った。

「新規に御殿へあがりました者にて、御側に御召使いをお願い申上げまする」

二

――あの娘だ。

見紛《みまご》うまでもない、俯向《うつむ》いている眉《まゆ》、朱《あか》い唇許《くちもと》、顫《ふる》えている肩つき、たしかに街で自分の駕籠へ縋り付いた娘だ。

「松並、――」

彼女《かのおんな》が退くと、吉孚は眼をあげて、

「其方《そのほう》は余に、側女《そばめ》を進める気か」

「若君。彼女は哀れな娘でござります。そう申上げればお分り遊ばしましょう、彼女は若君の御為には命を惜しからじと思い詰めて居りまする。……そして今は、若君の御側に、そういう者が一人でも多く必要なのでございます」

「その話なら聞きたくないぞ」

吉孚はつと立上って亭を出た。

聞きたくない話だった。――それは水戸家の世継の問題である。吉孚の祖父たる光圀は、初代頼房の三男であった。ゆえあって長男の頼重は分家して松平讃岐守《さぬきのかみ》家を創立し、本家水戸は三男光圀が相続した。それで光圀は兄に対する義理から、今度は自分の長男鶴松を讃岐守へ養子に遣《や》り、兄の子綱条《つなえだ》を迎えて水戸家三代を継がしめたのである。然《しか》るに水戸家中《かちゆう》の老臣たちは、光圀の徳を渇仰《かつごう》する余りその正統の血を遺《のこ》すため、綱条の子、即《すなわ》ち吉孚を廃して、讃岐守家へ養子に行った光圀の長男頼常の子を、逆にまた継嗣《けいし》に迎えようと計っていた。

無論これを、綱条が自ら云いだせば問題はない。然しその希望なしと見たので、吉孚の命を絶つ、という非常手段まで考えられるようになったのだ。――家柄血統を人間より重く見る時代の事で、決して珍しい話ではないが、是《これ》を松並勘右衛門から聞かされた時、吉孚は到底信ずる気になれなかった。そして、

——其話だけは二度と聞かせないで呉《く》れと、固く言渡したのであった。

吉孚が亭を出ると、藪囲《やぶがこ》いの前に芙蓉が待っていた。そして館《やかた》の方へ行く吉孚の後から案外落着いた様子で扈従《こしょう》した。——吉孚は泉池《せんち》の畔《ほとり》まで来ると、ふと立止って、

「——芙蓉と申すか」と声をかけた。

「はい」

「……いつぞや、会ったな」

娘は俯向いていた顔を微かにあげて、光のようにちらと吉孚を見上げた。その眸子は濡れて、顫えていた。

「どうして此処《ここ》へ来たのだ」

「はい、御老中さまの御配慮にて……」

「それだけか」

そう云ってから、吉孚は云い過ぎたことに気付いた。

「館の勤《つとめ》は辛《つら》いぞ。女共が多い、作法習慣もやかましい。町家の者には耐切れぬ事が数々ある、帰った方が宜いと思う」

「——若殿さま」

と、芙蓉が顔をあげた時、声高《こわだか》に女の声がして、侍女たちを伴《つ》れた夫人八重子が近

寄って来た。

「まあ綺麗《きれい》な娘だこと」

夫人は吉孚の側へ寄りながら、

「見馴《みな》れぬ腰元ですのね、何処《どこ》から拾っていらっしゃいましたの？　打毬が下手になったと思ったら、こんなお遊びが始まっていらっしゃったんですのね」

「奥、――言葉が過ぎるぞ」

「そんなに怖いお眼を遊ばしますな、別に悪い気持で申上げたのではございませんもの。ああそうそう、先程の琴を熟《よ》く弾くと仰有《おつしや》ったのはこの娘なんですのね、ほほほほ」

「――芙蓉、参れ」

吉孚は娘を促して足早に去った。

芙蓉のお千賀は黙って扈従しながら、夫人八重子の鋭い舌鋒《ぜつぽう》と、権高な調子を繰返し憎んだ。

夫人は自分と同じ十七歳の筈《はず》である。生れも育ちも違うとは云いながら、あれが副将軍の世子たる良人に対する態度であろうか。

――お淋しそうな若殿さまのお眼。それが痛いように胸へ滲入《しみい》った。

「家へ帰った方が宜いであろう」

歩きながら吉孚が云った。

「家は何をして居るのか？」

「はい、唐物商でございます。父の名は奈良屋伝右衛門と申します」

「奈良屋——」

吉孚はふと足を止めて振返った。

「奈良屋と云えば、屋敷へ出入りをして居るあの伝右衛門か」

「——はい」

「では、いつぞや向島の……」

娘は辛《かろ》うじて微笑しながら眼をあげ、

「はい、あのとき拝領致しました御印籠は、今でも大切に身を離さず持って居ります」

「そうか、あのときの娘だったのか」

吉孚は感動した声音で云いながら、昵《じつ》と娘の顔を見戍《みまも》った。——衆人の見る前で、あんな取詰めた真似《まね》をした気持が、少しずつ分るように思えた。

# 恋死なん

## 一

「それは事実か」

勘右衛門は屹《きっ》と向直った。——美濃部又五郎は声をひそめて、

「唯今《ただいま》国表より藤木勝之進が出府仕《つかまつ》っての急報でございます」

「三十日御出府、三十日」

水戸へ帰っている綱条が、十日の後に出府するという報知である。参覲《さんきん》の定例だと来年春の筈なのだ。勘右衛門は暫《しばら》く考えていたが、

「——御老」と、典医柚島《ゆずしま》仁斎の方へ振返って、

「御薬湯を濃く立てて頂こう」

「今宵《こよい》でござるか」

「もう彼女が取りに参る刻限だ、直ぐに調じて頂きたい」

「——仕りましょう」

典医の宿直《とのい》する部屋である、――仁斎は座を立って、屏風《びょうぶ》の中へ入った。

お千賀の入って来たのはそれと殆《ほとん》ど同時であった。――あれから今日まで七日、吉孚の側に仕えて夢のように送った。殊に御寝《ぎょしん》前の薬湯を勧める時が、一日の内で一番楽しい時間だった。その時だけは二人きりで、僅《わずか》ながら静かに語ることが出来るからである。

「お薬湯を頂きに参りました」

「いまお調じ申上げて居る」

と、勘右衛門は静かに娘を見て、

「どうじゃ、御側仕えが辛くはないか」

「……否《い》え決して」

「御簾中方《ごれんじゅう》の女どもが意地の悪い事をするとか聞いたが、そんな事があるか」

「はい、別に左様な事はございませぬ」

「それならば宜い。御奉公大切にすれば、やがて其方の思いも叶《かな》う折が参ろうというものじゃ、辛抱せい」

「――――」

お千賀は屹と勘右衛門の顔を見たが、直ぐにまた膝《ひざ》へ眼をおとした。

「お待たせ申したの」仁斎が天目を捧げて出て来た。「今宵のお薬湯は少しお舌触りが変って居るゆえ、そう言上して差上げるよう」

「はい、――」

「注意して参れ」勘右衛門が側から云った。

お千賀が寝所へ入って行った時、吉孚は既に夜具の上に坐っていた、白綸子《りんず》の寝巻が、雪白の頰《ほお》に青いほど映えて見える。――お千賀が捧げて来た天目を下に置くと、

「どうした、顔色が悪いではないか」と、吉孚は優しく云った。

「気分でも悪いのではないか」

「否え……決して左様の事は」

「それなら宜いが、――そんな処《ところ》に坐らないで近《ちこ》う寄らぬか」

「はい」

お千賀は云われるままに、天目を進めつつ膝行《しっこう》した。――吉孚は手を伸ばして取りながら、曾《かっ》て無い温かな眼を向けて、

「向島で初めて会った折にも、おまえは茶を汲《く》んで呉れたのだったな。……余はまだ少年だったが、美しい娘だと思ったことを覚えて居る。あれは十六の時であったな」

「……わたくし若殿さまのお顔を――」云いかけて、お千賀は急に俯向いた。……吉

孚は後の言葉を促すように、娘を見ながら天目の蓋《ふた》を取って呑《の》もうとしたが、

「是は、——」と、云って訝《いぶか》しそうに中を見た。

「芙蓉、是には薬湯が入って居らぬぞ」

「わたくしが……」お千賀は静かに顔をあげて云った。

「わたくしが頂戴致しました」

「——どうして」

「あれは、お毒薬でございます」

「なに！」

がくりと、お千賀の体が傾いた。——吉孚はすり寄って支えながら、

「芙蓉！　おまえ毒と知って呑んだのか」

「お聞き下さいませ」

お千賀は力のある声で云った。

「御家中の老臣方は、光圀様のお血筋を、水戸家へ遺すため、若殿さまのお命をお縮め申そうと、謀《はか》っているのでございます」

「どうして其《それ》を知った」

「わたくしの父が、松並さまと、密談をしているのを聞いたのです」

「松並勘右衛門が？」

「御老中さまは、お味方と見せて、実はその企《たくら》みの発頭人なのでございます。今まで差上げていましたお薬湯、あれは、あれは少しずつ、お命をお縮め申す毒薬です。そしてそれは、わたくしの父が、南蛮から買入れた物でございました。わたくし其事を、二十日ほど前に知りましたので、それで……」

お千賀は苦しげに言葉を切った。

二

「どうかして、若殿さまに、お知らせ申上げようと存じましたが、御老臣方のお企みゆえ、ただお訴え申しただけで、とてもお耳には届くまいと存じまして、是非なく先日……お乗物へ取りつき、書いた物を差上げようと」

「では、あれはそのためだったのか」

「でも駄目でございました。お駕籠脇《わき》の方に突放されて、到頭……」

「芙蓉、いや——千賀」

吉孚は苦悶《くもん》の眉をひそめて、

「ではおまえは、水戸家の世継たる余の命を救うために斯《こ》うしたのか。駕籠へ取りついたのも、この館へ入り込んだのもそれだけのためだったのか。――恋の気持では無かったのか」

「…………」

「千賀、云って呉れ。おまえは吉孚を恋して来たのでは無かったのか」

「勿体《もったい》ない……」

お千賀は血を吐くような声で云った。

「わたくしは、卑《いや》しい町人の娘でございます。なんで、なんで若殿さまに、そんな」

「本当の事を云え、おまえは助からぬのだ。偽りを云ったままでは死ねぬ筈だぞ」

「…………」

「云うのだ、本当の事を」

「……恋では、ございませぬ」

「千賀！」

娘は必死の力で振仰いだ。蒼白《そうはく》になった面《おもて》が涙で濡れていた。

「若殿さま、恋では、ございませぬ。でも、わたくしは、本望でございます。女と生れて是以上の死方はございませぬ。是に――御老中加担の方々の名を認《したた》めて置きました」

お千賀は懐《ふとこ》ろから書状を取出して、

「どうぞ一日も早く」

「…………」

「御安泰の御身におなり遊ばすよう。――わたくしの死体を、父にお下げ渡し下さいます時には、棺《ひつぎ》の中へ御印籠と一緒にと……」

「それだけか。云う事はそれだけか」

「若殿さま……」

強い身震いが二度、三度。お千賀は苦痛の呻《うめ》きを洩《も》らさじと、懸命に歯を喰いしばるかと見るうち、

「恋、恋ではありませぬ」

叫ぶように云って、がくりと前へのめり伏して了った。

吉孚は昵とそれを覓めていた。曾て経験した事のない、複雑な烈《はげ》しい感動が体中を火のように荒狂っている。泣いて宜いのか、怒るべきか分らなかった。

――この娘は嘘を云った。この娘は余を愛していたのだ。命を救って呉れるより、本当の気持を直《じか》にぶっつけて呉れる方が嬉《うれ》しかったのに。でも、この娘にはそれが出来なかったのだ。余の身分が、そうさせなかったのだ。可哀《かわい》そうに。

吉孚は胸へ熱湯のようなものがつきあげて来るのを感じた。——そして静かに立って鈴の紐《ひも》を引いた。

「お召にござりまするか」

襖《ふすま》の外で小姓の声がした。

「着換えをするぞ」

「は、——」

「それから老中共に小書院へ集れと云え」

「は、——」

小姓が去ると、直ぐ二人の侍女が衣服を捧げて来た。吉孚はお千賀の屍《しかばね》を屏風で隠し、着換えを済ませてから、

「宜い、退《さが》れ」と、侍女を去らした。——そして、いま脱捨てた寝衣を手にすると、まだ肌《はだ》の温《ぬく》みの残っているのをそのまま静かにお千賀の屍の上へ着せかけてやった。

「千賀、余の肌つきだ、果敢《はか》ないえにしであったな」

くくくと喉《のど》へせきあげる歔欷《すすりなき》を抑えながら、

「然しおまえの持って行く物は、印籠だけではないぞ、吉孚の心も一緒だ、分るか、吉孚の心も一緒に持って行くのだぞ」

そう云って両眼を蔽《おお》い、やや暫くのあいだ屍の前に黙禱《もくとう》していたが、やがてお千賀の残した書状を取上げて立ち、

「――出るぞ」と、声を掛けた。

襖が開いて、佩刀《はいとう》を捧げた小姓と近習の二名が控えていた。吉孚は大股《おおまた》に畳廊下から御錠口を経て、小書院の上段へ現われた。――其処《そこ》には既に松並勘右衛門を始め七人の老中が集って来ていた。

「いずれも夜中大儀であった」

吉孚は冷やかに見廻して、

「火急に呼んだが、別に仔細がある訳ではない。寝所へ入ってふと思いついた事があったから、一応皆に伝えて置きたくなったのだ」

「――――」

「その前に見せる物がある」

吉孚は例の書状を取出して、

「又五郎、是を勘右衛門に見せろ」

「ははッ」

美濃部又五郎が、膝行して出る、両手で書状を受けようとした時、吉孚の手からは

らりと書状が落ちた。――刹那《せつな》！

「無礼者！」

叫んで、吉孚の手が小姓の捧げている佩刀へ伸びる。ぎらりと抜討に刃《やいば》が空を截《き》った。

「あ、――」と、又五郎は平伏したまま、後へ退ろうとしたが、直ぐ、頸根《くびね》からびゅっと血を迸《ほとばし》らせながら、だっと前へのめり倒れた。列座の人々は色を喪《うしな》った。

「勘右衛、近う！」

吉孚は佩刀を右手にしたまま、左手で書状を取ってついと差出した。

――勘右衛門の唇はわなわなと震えている。

「近う！　是を読んでみい」

「……御免」

勘右衛門は静かにすり寄った。差出した手は眼に見えるほど戦《おのの》いている。そして書状を受取るとたん、吉孚の佩刀がきらりと光るや、あッと低く叫びながら身を縮めた。

「何を左様に怖れる」

吉孚は佩刀を小姓の一人に渡しながら、冷やかに笑って云った。

「又五郎は無礼があったから成敗した。ゆえなく其方まで斬りはせん、安心してそれを読んでみい」

「は、……」

勘右衛門は元の場所まで戻って、恐る恐る書状を披《ひら》いた――ちらと眼を通した刹那、彼の体は電撃されたように震慄《しんりつ》した。横鬢《よこびん》へ見る見るべっとりと膏汗《あぶらあせ》が滲《にじ》みだすのを、吉孚は嘲《あざけ》るように睨《にら》みながら云った。

「哀れな娘が、命を賭《と》して探索した名簿だ。それを認めた娘は死んだぞ」

「……………」

「余はまだ披見して居らぬ」

「……………」

「確《しか》と読め勘右衛」

勘右衛門は書状を持ったまま、崩れるように其処へ両手をついた。

「読んだか」

「――は」

「宜し、燭台の火をつけい」

「……………」

「燃して了え。何を躊躇《ちゅうちょ》するか！」

勘右衛門は蘆葉《あしのは》のように戦きながら、燭台の火に書状をさしつけた。――紙はめらめらと燃上って、見る間に端から灰になる。勘右衛門は手であしらいながら、遂《つい》にすっかり燃して了った。

「宜し、それで其名書《なが》《き》は、書いた娘と其方だけしか見た者はない。――改めて、呼んだ仔細を申す。義公様（光圀）は日本国の大徳であらせられた。水戸家は祖父様の御正統こそ相続すべきであると思う。即《すなわ》ち……讃岐守頼常侯の子息こそ水戸家を継ぐべきだ。余は予《かね》てからそう思っていたし、今度父上御出府のうえは、直々《じきじき》に申上げて御決定を仰ぐ積りで居る」

「――――」

「ふと思い出したら、急に其方共に云いたくなったので召寄せた。夜中大儀であったな、もう退って宜いぞ」

みんな言葉もなく平伏した。――吉孚はすっと立ったが、振返って、

「勘右衛、芙蓉の死体には余の肌つきが着せてある。手を触れずにそのまま葬《ほうむ》ってやれ。不憫《ふびん》なやつを殺したぞ」

語尾は黯然《あんぜん》としめっていた。

略記すれば、水戸家の四代は讃岐守頼常の子軽丸（六歳）が入って継いだ。是が、

成公と云われる宗堯である。——旧記桃雑記にはお千賀の件を「世子の御事を思い煩い、死ぬるに覚悟せし様子なれば、両親不憫に存じ、娘の願いなればとて、奥の方へ便を求めて、世子の御手に触れ給《たま》いし物を、下し賜わらん事を、ひそかに願いけり、是に依って侍女の計らいにて御寝間の衣を下し賜いけり、彼女この衣を身に抱緊めつつ死たりとかや」とだけ書いている。

勘右衛門一味は数年後、政治向不宜《よろしからず》という事で放逐されて了った。

（「講談雑誌」昭和十三年十月号）

# 奇縁無双

一

来栖《くるす》伊兵衛は無愛想な男である。

飯田藩、堀大和守《ほりやまとのかみ》譜代の家臣で、三百石《こく》の近習番を勤め、父はすでに亡《な》く、母に妹の二瀬《ふたせ》と城下荒町に住んでいる。――そこには儒者太宰春台《だざいしゅんだい》の生家の跡があって、春台が幼時手ずから植えたという松が残っていた。伊兵衛は少年の頃《ころ》から剛毅《ごうき》不屈の学者春台の事蹟《じせき》を聴き、また朝夕この「太宰の松」を親しく見ながら育ったので、生《き》一本で偏屈なところは幾らかその影響があったのかも知れない。

六尺に余る身の丈で、いつも髭《ひげ》の剃痕《そりあと》の青々とした腮《あご》をもっている、大切な事には口数を惜しまないが、朝暮晴雨の挨拶《あいさつ》や世間話などには敢《あ》えて応酬しようとしない、それでも別に反感を持たれることもなく、

――あれが来栖の好いところさ。

という風に見られているのは、それだけ備わった人徳があるからであろう。

安永二年六月はじめの事だった。

雨あがりの松川で半日魚釣《つ》りに興じた伊兵衛が、家へ帰ろうとして町はずれの畷道《なわてみち》

にさしかかった時、うしろから馬を煽《あお》って来た者が凄《すさま》じい勢で伊兵衛を追抜いた。泥濘《ぬかるみ》の道で、避《よ》けるひまもなく、したたかに泥《どろ》を浴びた伊兵衛は、

「——下郎、待て！」

と絶叫した。

下郎という声が耳にはいったか、相手が手綱を絞りながら停《とま》るのを、伊兵衛が追いついてみると若い娘だった、——生絹《すずし》の筒袖《つつそで》に馬乗り袴《ばかま》で黒髪を背に垂れ、額つきの端麗な、熟《う》れた山葡萄《ぶどう》の実のように艶々《つやつや》と黒く美しい眸子《ひとみ》を持った、十八九の乙女である。

「下りろ、おまえは馬をやる法を知らないのか」

伊兵衛は魚籠《びく》と竿《さお》を持替えながら、

「武士を追越すときには会釈《えしゃく》をすべきだぞ、殊《こと》にこのような泥濘を駆けるには注意しなければならぬ。こんなに泥を浴びせながら詫《わ》びもせずに行くということがあるか」

「そのようなことそちなどから教えを受けようか」

乙女の美しい眸子が怒った。

「武士なら多少は武道の心得もあろう、他人《ひと》に乗馬の作法を教えるより、自分ではね汲《くみ》を避ける工夫をするがよい、——みは城の万じゃ、過言であろうぞ」

「黙れ下郎！」

伊兵衛は叫びながら手を伸ばした。

あっというまもなく、馬上の乙女は鞍《くら》から引下ろされ、葩《はなびら》のような頬《ほお》に発止《はっし》と高く伊兵衛の平手が鳴っていた、思わず腕をあげて避けようとするところを、ぐいと引寄せてもう一つ、強くはないが音は高かった。

「——この痴者《しれもの》が」

伊兵衛は睨《ね》めつけながら、

「ひとに泥を浴びせて詫びもせぬ許《ばか》りか、姫君の名を偸《ぬす》み申すとは赦《ゆる》し難きやつだ、おまえは下賤者《げせんもの》で知るまいが、御身分のあるお方が供も伴《つ》れず、このような城外をお独りで歩かれると思うか、——まして一国一城の姫君となれば礼儀作法もよく御存じだ、おまえのような無法なことをあそばす筈《はず》はない、——無礼討ちにすべきだが今度だけは見遁《みのが》してやる、再びこのようなことをすると斬捨《きりす》てるぞ」

息をつくひまも与えずそれだけ云《い》うと、伊兵衛は乙女を押しやって、

「拙者は来栖伊兵衛という者だ、覚えて置け」

そう云い捨てて立去った。

畷道を左へ折れてしまったので、それから乙女がどうしたか知らなかったが、伊兵

衛の唇《くちびる》には微《かす》かな笑いが刻まれていた。

——あれがじゃじゃ馬どのか。

そう思ったのである。

飯田城主、堀大和守親長《ちかなが》の五女に万姫というのがある、この飯田で生れた側室の女《むすめ》で、男まさりの気性と、とびぬけて美しい縹緻《きりよう》をもっている。……親長には四男七女の子があったが、この万姫に対する愛情は格別で、側《そば》を離すのが惜しさに、家臣へ嫁入らせようと考えているほどである、こうした父の愛情は、男まさりの姫を更に我儘《わがまま》なものにさせた。

薙刀《なぎなた》と小太刀《こだち》にはすぐれた腕があるし、乗馬は殊に抜群だった、それで遠乗などに出ると、供をうしろに追い捨てては勝手なところを駆け廻ってはらはらさせる、或時《あるとき》などは神坂《みさか》峠を越えて美濃《みの》の国境までも行き、深夜になってみつけられたことさえもあった。

——しようのないじゃじゃ馬どの。

という陰口が弘《ひろ》まったのはその頃からのことである。

伊兵衛はまだ万姫を知らなかった。

奥と表との差別は厳重であるが、この狭い城下にいてこれだけ暴れ廻る美しい人を知らぬ者はあるまい、しかも近習番を勤めながらついにこれまで知らなかったのだから、如何《いか》にも伊兵衛の気質をよく表わしている。――けれど、馬上の乙女が自ら「城の万じゃ」と名乗ったとき、むろんすぐにそうと感付いたのである。感付きながら敢て姫の頰を打ったのだ。

勝気な姫はどうするであろうか、伊兵衛の覚悟の出来ていることは云うまでもない。

二

その翌日の夜。

来栖家の晩餐《ばんさん》には吉沢幾四郎が客として列《つら》なった。幾四郎は槍奉行《やりぶぎょう》の子で伊兵衛とは幼少の頃からの友であり、まだ正式に話はないが妹の二瀬とはいつか結婚するものに定《きま》っているような間柄《あいだがら》であった。

「今日は面白いことがありましたよ」

幾四郎は食後の茶を啜《すす》りながら、

「曽根《そね》源三郎を知っていますね、あいつが到頭じゃじゃ馬どのに捉《つかま》ってしたたかやられたそうです、横鬢《よこびん》に大きな瘤《こぶ》をだして来ていましたよ」

「まあ曽根さまもですの」

二瀬は呆《あき》れたように眼《め》を瞠《みは》った。

「でも曽根さまはたいそう剣術が御自慢だと伺っていましたのに」

「なに自慢するほどの腕ではありません。河野でさえ敵《かな》わなかったのですから、曽根がやられるのは当然です」

「――なんの話だ、それは」

珍しく伊兵衛が口を挿《はさ》んだ。

ふだんなら耳にもとめぬところだったろうが、じゃじゃ、、、馬どのと聞いて興を唆《そそ》られたらしい。幾四郎の方はまた、改めてなんだと訊《き》かれたのに驚いた。

「曽根が姫君に打据《うちす》えられた話さ」

「――何処《どこ》で」

「御屋形《おやかた》の庭でだ、姫君の御屋形へ召される者もあるし、また外でいきなり相手を申付かることもある、みんな隠しているが段々分って来たのさ」

「訳の分らぬ話ではないか」

伊兵衛は眼をあげて、

「全体その御屋形へ召されるとか相手を申付かるというのはなんのことだ」

「驚いたな、貴公はなにも知らないのか」

「知らないから訊いている」

「もう半月もまえからの評判だぞ」

幾四郎もしかし精《くわ》しい事は知らなかった。

なんでも半月ほどまえから、城中の若侍たちが次々と万姫の屋形に呼ばれ、或《あ》るいはまた野外へ連出されたうえ薙刀、木太刀《きだち》の相手を命ぜられ、さんざんな負け方をしているのだという。のである、――それも姫の独断でやっているのではなくて、主君親長侯も承知のうえらしいということだった。

「堅く他言を禁じられているそうで、誰と誰が本当にやられたのか分らないが霜田市之丞《いちのじょう》、河野金弥、橋本啓之助、それに曽根と、この四人がやられたのは慥《たし》かだ」

「――追従者《ついしょうもの》が揃《そろ》っているな」

伊兵衛は苦々しげに云った。

「曽根や橋本はしようがないが、河野と霜田はもう少し心得のあるやつだと思った」

「追従者とも云えないだろうが」

幾四郎は執成《とりな》すように、

「なにしろ主君の姫で、いずれにしても婦人のことだからな、如何に武術の試合とは云え思切って打込むことも出来ないだろうし」

「それなら初めから相手にならぬがよい」

「そう出来ればいいが」

「出来るさ、出来ないのは追従の心があるからだ、——己《おれ》なら……」

と云いかけて、伊兵衛はふと自分の右の掌《てのひら》を見た。

昨日、葩のような頬の上に快い音をたてた平手打の触感が、掌の皮膚にまざまざしく甦《よみがえ》って来たのである。

「貴公なら？」

「——どっちにしても」

と伊兵衛は眼を外向《そむ》けながら云った。

「拙者なら追従者にはならぬ」

幾四郎は二瀬と眼を見交わした、二人の眼は同じように微笑していた。

——本当に伊兵衛ならどうするだろう。

と云うように。

伊兵衛はそのまま座談のなかまから離れてしまった、幾四郎から聞いた話はなかなか頭を去らなかった。

主君大和守が万姫を溺愛《できあい》していることは知らぬ者はない、一生側を離したくないために、江戸屋敷へも移さず国許《くにもと》に置くほどだから、大抵の我儘は笑って許されて来た。しかし乙女の身で少しばかり武芸の心得があるからといって、家中《かちゅう》の武士に立合わせたり、慰み半分の相手をさせたりするというのは度の過ぎたことだ。それを許す主君の気持が、果してただ溺愛の結果であるか、それともなにか他に理由があるのか。

伊兵衛はもう一度、自分の右の掌を見やった。

三

烈《はげ》しい雷雨があって、梅雨は快くあがった。

何事もなく四五日経《た》った。

曖道の事があって以来、伊兵衛は今にもなにか御沙汰《ごさた》があるかと、登城する度に待っていたが、或日のこと召されて御前へ伺候《しこう》すると、大和守の側に万姫がいた。

——さては愈々《いよいよ》、きたか。

そう思ったが、そ知らぬ顔で平伏した。

「これが来栖伊兵衛だ」

親長は姫の方へ云った。

「なにか訊《たず》ねたいことがあるなら声をかけてやるがよい……伊兵衛、万姫じゃ」

「――は」

伊兵衛は平伏したきりだった。

姫は澄んだ眸子で昵《じっ》と伊兵衛を見下ろしていたが、やがて冷やかな声で、

「来栖伊兵衛とはそなたか」

と云った。

「許します、面《おもて》をおあげ」

「――はは」

「面をおあげ」

伊兵衛は静かに顔をあげた。その真正面へ怒れる眸子が矢のように刺さった。

「そなたの顔は何処かでいちど見たように思われるが、そなたは万に見覚えはありませぬか……」

「恐れながら」

伊兵衛は平然として、

「式日の折など末座より拝しましたのみにて、お直にお目通り仕《つかまつ》りまするは今日が初めて、お言葉恐入り奉《たてまつ》りまする」

「ではよく万の顔を見てお置き！」

姫の声は微かに震えを帯びていた。

「是《これ》からのち領内いずれで会うやも知れませぬ、そのとき見忘れのないよう、万の顔をよく見て覚えてお置き」

「――恐入り奉りまする」

「よく見ましたか」

「――は」

「もう見忘れはしますまいね」

きゅっとひき結んだ唇、怒りの光を帯びて一層美しく輝く眸子、上気してぽっと赤みのさした匂《にお》うような頬、……伊兵衛は臆《おく》せぬ眼でひたと見上げながら思わず、

――お美しいな。

と胸のなかで呟《つぶや》いた。

御前を退《さが》ってからまず思ったのは、これは考えていたより面倒なことになるぞということだった。姫は畷道の出来事を親長に告げていないらしい、告げれば自分が叱《しか》られると思ったのか、

――否《いや》そうではあるまい。

恐らくは父の力を借りずに、自分の手で復讐《ふくしゅう》をする積りなのであろう、その前提として顔を見知らせ、今度は万姫という存在でのっぴきさせず押える考えに違いない。

——あのお美しさの、何処にあんな烈しい気性があるのか。

と思い、また同時に、

——油断はならぬぞ。

と伊兵衛は珍しく緊張した。

人の心ほど微妙なものはない、日頃《ひごろ》の伊兵衛は不屈そのものの武士気質《かたぎ》で豪放にまで出処進退を割切っていたのが、今度はどうやらそれが危くなって来たらしい。自分が正しいと信ずる限り、どんなに困難な状態が起ろうとびくともしなかった心構えが、妙に落着きのない不安を感じだしたのである。

なぜだろう！

相手が主君の姫だからか？

復讐が怖くなったのか？

どうもそんな単純なものではないようだ、本当の理由《わけ》は別のところにあるらしい、ただ生れて初めて経験する感情なので自分では全く気付かないのである、……ではその原因はなにか？

伊兵衛が緊張し始めたにもかかわらず、それから更に数日が経って、梅雨あけの日々は次第に暑さを加えて来た。

伊兵衛は泳ぎが好きで、夏になると天竜川へ出掛けて行くのが毎年の例である。城下町から南へ一里ほど下ると、殆《ほとん》ど人の来ない藤ケ淵《ふち》という泳ぎ場があった、——着物を脱ぐ場所から少し下ると両岸の断崖《だんがい》が高く、奇巌峭立《きがんしょうりつ》して相迫り、碧玉《へきぎょく》のように澄んだ水が淵をなして、流れも緩く、猿《さる》の声でも聞くほかは全く塵境《じんきょう》の外にある幽邃《ゆうすい》なところだ。伊兵衛はもう数年このかた、そこを殆ど自分独りの泳ぎ場のようにしていた。

その日も朝から暑かった。

藤ケ淵へやって来た伊兵衛は、衣服大小を束ねて岩蔭《いわかげ》へ置き、静かに流れのなかへ身をひたすと、そのまま瀬に乗って淵の方まで泳ぎ下った。

大きな岩角を曲って、淵へ出たとたんのことだった、かつて自分より他に人の来たことがない淵の水面に、四五人の者が泳いでいるのとばったり顔を見合せた。

——おや？

と思って眼をあげたとたん、伊兵衛は我知らずあっ、と叫びそうになった。

泳いでいるのは女であった。

# 四

碧玉色の水に透いて、白いなめらかな肩が、かたく匂やかにふくらんだ胸が、すんなりと伸びた腕が、まるで妖《あや》しい魚のように放恣《ほうし》な姿で躍っている。

伊兵衛が危く叫びそうになったと同じ時。

乙女たちもそれと気付いて、

「あ、あれ」

「人が」

と嬌声《きようせい》をあげた。

しかもその乙女たちの中から、屹《きつ》とこっちへ振返った一人の眼は、伊兵衛の全身を痺《しび》れるように刺し貫いた。余りに意外な人、

——万姫！

伊兵衛はそう感ずるより疾《はや》く身を翻《ひるがえ》して水中に潜った。

水に潜りながら伊兵衛は事情を知った。

謀《はか》られたのである、万姫はここが伊兵衛の泳ぎ場であることを知り、ひそかに侍女たちと先に来ていたのだ、そして裸形の乙女たちのなかへ伊兵衛を取籠《とりこ》めようとした

のだ。

思切った仕方である。

同時に辛辣《しんらつ》極まる方法だ。――もし取って押えられたとしたら、……姫君の泳ぎ場を裸で犯したことになる。

伊兵衛は息の続く限り潜った。

しかしその淵を三十間も下ると川は滝のような早瀬になる、流れは乱立する岩を嚙《か》んで引裂け、飛沫《しぶき》をあげながら矢のように奔騰《ほんとう》する、うっかりそこへ巻込まれたら命はない。……伊兵衛は辛くもその寸前で川中の巨岩に身を支えた。

振返ったがさすがに乙女たちの姿は見えなかった。

ようやくほっと息をついたが、これからどうしたらよいかはたと当惑した。この急流を泳いでのぼることは不可能である、岸を伝って行くとしても淵には姫たちが待構えているだろう。では帰るまで待つか。

「――いかに」

思わず伊兵衛は呟いた。

「着物がある、事に依《よ》ると姫はあれを持って行くかも知れない。そうすると裸で帰らなくてはならぬ。否それだけじゃないぞ、……先刻《さっき》はそれと見咎《みとが》められぬうちに水へ潜ったから、泳ぎ場を犯した証拠を危く残さずに済んだが、あの衣服大小を取られたらおしまいだ」

伊兵衛は即座に岸へ泳ぎ着いた。屏風《びょうぶ》のように聳立《しょうりつ》した断崖《きりぎし》である、しかしこっちは懸命だった、岩の裂目や、藤蔓《ふじづる》などを手掛りにして登り始めた。高さは八十尺を越していたであろう、風蝕《む》している岩は脆《もろ》くて、掛けた手や足の力で何度も欠落ちた、そのたびに伊兵衛の体はぐらりと墜《お》ちかかり、もう駄目《だめ》かと胆《きも》を冷した。

幾度も休み、何回も息をついて、しかし、遂《つい》に断崖の上へ登ることが出来た。

上は道である。

伊兵衛は裸のまま走りだした。

真昼の陽《ひ》は眩《まぶ》しく照りつけている、田の草とりに行くらしい、三人伴《づ》れの農夫が通りかかったが、吃驚《びっくり》して押合いへし合い畦道《あぜみち》へ逃込んだ。――そして、天狗《てんぐ》でも見つけたように仰天した眼を剝出《むきだ》しながら走り去る伊兵衛の姿を見送っていた。

更にふた組の農夫に会った。

その次に会ったのは目附方の若侍であった、これも驚いたらしい、笠《かさ》をあげながら、

「来栖《くるす》氏《うじ》ではございませんか」

と呆《あき》れて声をかけた、

「この日中その姿はどうなすったのです」

「鍛錬《たんれん》だ、体の鍛錬だ」

伊兵衛は走りながら答えた。

「これが来栖流の体の鍛え方だ、人間の体はこうして鍛えるのだ、しかし秘法だから必ず他言は無用だぞ」

「――――」

若侍はあっけにとられて見送った。

ようやく元の場所へ馳《か》けつけてみると、衣服大小は岩蔭にそのまま在った。――しかしそれはほんの危い刹那《せつな》だったのである、流れるような全身の汗を拭《ふ》くいとまもなく、伊兵衛が大急ぎで着物を着、袴《はかま》をつけ大小を腰に差込んでいるとき、……岩を越して姫と侍女の一行が現われた。

藤ケ淵で待つうち、伊兵衛の戻って来るのが遅いので、姫の方でもそれと気付き、急いで此処《ここ》へ馳けつけたのであろう、――伊兵衛をみつけたとたん姫は、

――しまった。

という表情を見せた。

「あ、これは姫君」

伊兵衛は、さも意外なという様子で、両手を、膝《ひざ》に当てながら頭を垂れた。

「来栖伊兵衛ですね」

「は、伊兵衛にございます」

そう云って静かに面をあげ、

「この暑中、斯様《かよう》な場所へお運びは、水泳ぎなど遊ばしまするのか、伊兵衛めも以前はよくここへ浴びに参りましたが、深い淵で危のうござりますゆえ、この節は足踏みも致しません、姫君にも若《も》しお水浴びなど遊ばしますなら、よくよく御注意のほど」

「伊兵衛、これをとらす」

姫は侍女の手から白布を取って、伊兵衛の手に投げ与えながら云った。

「髪から体まで汗が流れています、それで拭いてお帰り」

「――は」

「裸で馳けた姿はさぞ立派だったろうね」

侍女たちがぷっと失笑《ふきだ》した。

## 五

「兄上さま、吉沢さまが見えました」

「己《おれ》に用なのか」

「はいお二人きりで何か……」

朝食のあと、非番なので居間に引籠ってずっと書見をしていた伊兵衛は、そう云われて机の前から向直った。

「じゃあここへ通せ」

縁先の簾《すだれ》を下ろして妹が去ると、吉沢幾四郎が入って来た。——伊兵衛の癖で、相手が坐るより早く、

「なんだ、なにか急用でもあるのか」

「順番が廻って来たよ」

幾四郎の微笑は硬張《こわば》っていた。

「——順番?」

「例の姫のお相手だ、まさかと思っていたら到頭この己に当ってしまった」

「どういうのだ」

「——今日、三時《やつはん》に将監原《しょうげんばら》へ来いとある」

「——将監原へか？」

「他聞を憚《はばか》るのでお屋形へ召される他はいつも人眼に遠い場所が選ばれるのだ」

「それで、貴公どうする」

幾四郎は再び硬い微笑を見せながら、

「少くとも貴公の云う追従者にはならぬ」

「——」

「しかしお相手はするよ、存分にお相手をする、そして拙者で限《きり》をつける積りだ、無論」

といって幾四郎は腹へ横に手を引いた。

「覚悟はしている」

「——」

「そこで頼みだ」

幾四郎は膝を正して、

「拙者は以前から、二瀬どのを妻に申受けたいと思っていた、今でもその心に変りはない、しかしこんな事になってみると、それが果せるかどうか分らなくなった、……

順序を外したことで叱《しか》られるかも知れないが、せめてもの心遣《こころや》りにここで別盃《べっぱい》を酌《く》ませて貰《もら》いたいと思う」

「その言葉は、己も待っていた」

伊兵衛は低い声で云った。

「恐らく二瀬も待っていただろう、母も無論のことだ。……いいとも、内祝言《ないしゅうげん》の意味も籠《こ》めて小酒宴をやろう」

「承知して呉《く》れるか、かたじけない、——だが、お二人には堅く内証だぞ」

伊兵衛は机上の鈴を振った。

ちょうどもう午《ひる》に近かった、すぐに客間へ支度が出来て、主客に妹と母を交えた小酒宴が始まった。

幾四郎は余り酒を嗜《たしな》まなかった。——しかし、将監原の事があるために酒も碌々呑《ろくろくの》めなかったと云われるのは恥辱だから、伊兵衛の勧めるままにいつか深酒をしてしまった。

「もういかん、これでしまおう」

「なにまだいい、この一本を空けよう」

「いや、それでは立てなくなる」

「寝ればいいさ」

伊兵衛は暗示するように、

「ひと眠りして、神《しん》も体もすっきりと酔いから醒《さ》めたら出掛けるんだ、時は充分ある」

「そうか、時は充分あるか」

幾四郎は高く笑って盃を出した。

それから間もなく、幾四郎は遂にそこへ酔い倒れてしまった。——事情を知らない母と妹は伊兵衛の強《し》い方をはらはらしながら見ていたが、幾四郎が倒れてしまうと呆れて、

「まあおまえ、こんなにお酔わせ申してどうするのです、不断から余り召上らないのを知っておいでの癖に」

「兄上さまは今日は少し変ですわ」

「なに、いいんだ、内証にして置けと頼まれたから云わなかったがな、——実は」

伊兵衛は声をひそめ、

「幾四郎め、今日は二瀬に申込みをしに来たんだ」

「——まあ！」

「その祝いだよ」

「――まあ！」

二瀬はさっと頰《ほお》を染めた。

「ははははは」

伊兵衛は珍しく笑って、

「だから酔《よ》い潰《つぶ》れるまで呑んだのさ。二瀬、おまえ介抱してやれ、そして眼が覚めたらこう云うんだ、――将監原は伊兵衛が引受けた、だからその後を頼むと」

「それはなんのことですの？」

「云えば分る。母上、ちょっと出て参ります」

そう云って伊兵衛は立ち上った。

藤ケ淵の日から幾日、――伊兵衛はこういう機会の来るのを待っていたのだ。あの日の思切った仕方から考えると、姫の我儘《わがまま》はどんなところまでゆくか分らない。

――鉄は熱いうちに打て。

禍《わざわい》の根は花咲かぬうちに断つべきだ、伊兵衛は馬を曳出《ひきだ》して唯《ただ》一人家を出た。

六

万姫は五人の侍女と共に、城下を北へ馬を駆っていた。

すると、時又郷にかかる少し手前のところで、卒然とうしろから馬蹄《ばてい》の音が近づいて来て、一騎の武士が侍女たちの馬のあいだを馳け抜けると、先頭を駆《はし》っていた姫に迫って、その尻《しり》へ発止《はっし》と鞭《むち》をくれた。

あっと云う間もなかった。

不意に鞭をくった姫の乗馬は、いきなり矢のような勢で奔《はし》りだす。

「――誰じゃ、なにを」

と姫が驚いて手綱を絞ろうとするところへ、またも追い迫りながら一鞭、更に一鞭。

云うまでもなく伊兵衛だ。

姫の馬は狂奔した。――侍女たちの叫声は忽《たちま》ち後へひき離された、伊兵衛は少しの隙《すき》もなく、追い迫っては打ち、追い迫っては打ち、遮二無二《しゃにむに》山地の方へ追い立てて行く。

姫はどうかしてその鞭からのがれようとしたが、必死を賭《か》けた伊兵衛には敵することが出来ず、しまいには鞍《くら》から振落されまいとする努力で精いっぱいになった。

二頭の馬は濛々《もうもう》たる土煙のなかを、狂ったように疾駆し続けた。

どこをどう走ったか、どのくらいの時間そうしていたのか、姫はなかば夢中だった、続けざまの早駈けではあるし、いつか道は嶮《けわ》しくなっていたし、揉《も》みに揉まれた体はくたくたに疲れて、渇きつきそうな喉《のど》と共に激しい眩暈《めまい》さえ感じ始めた。

「——お下りなさい」

そう云われて気がつくと、馬は急勾配《こうばい》の岩道の下に停《とま》っていた。

姫は振返って初めて伊兵衛を見た。

「おまえは……来栖」

「お下りなさい！」

伊兵衛は叱りつけるように叫んだ。

姫の唇《くちびる》がきゅっと歪《ゆが》んだ、そして疲れきった体のなかから、ありたけの怒りをひき出そうと試みるらしい、しかしもうその力はなかった。

「下りたら歩くのです、さあ」

「…………」

「歩けないのですか」

姫は黙って歩きだした。

伊兵衛は二頭の馬を曳きながら、その後から大股《おおまた》に跟《つ》いて行った。——道は尖《とが》った岩のごつごつした坂である、左右はびっしりと枝を交えた檜《ひのき》の森で、まだ昼だというのに梟《ふくろう》の声がしていた。足がふらふらする、体は、濡《ぬ》れた布切のように力がない、……それを見られまいとして、姫は歯をくいしばりながら登った。

二人とも無言だった。

道は無限のように続いている、いつか森をぬけて疎《まば》らな雑木林の斜面へ出た、そのとき初めて、もう夕暮に近いことが分った。

——こんな時刻なのだ。

姫は思わず振返った。しかし伊兵衛は怒った顔のまま情《すげ》なく外向《そむ》いてしまった。こうして更に二時間《いっとき》は登ったであろうか、黄昏《たそがれ》がすっかり四辺《あたり》を閉ざして、足下の見分けもつかなくなった頃《ころ》、二人は凄《すさま》じく切立った絶壁の上へ出た。

伊兵衛は馬を木へ繋《つな》いで、

「こっちへ来るのです」

と姫を絶壁の端の方へ押しやった、姫はぶるっ、、と身を震わせながら叫んだ。

「おまえ、万をどうする積りなの!」

「怖いのですか」

伊兵衛は冷やかに云った。

「私がここから突落すとでも思っているのですか、——そんな事はしませんから御安心なさって宜《よろ》しい、さあここを下りるのです」

「厭《いや》です、もう沢山です」

「云う通りになさい！　でないと……」

伊兵衛は姫の手を摑《つか》んだ。

その強い力は、姫の体中へ火のようなものを伝えた。——姫は眼を伏せて、伊兵衛のする通りに絶壁の裂目を下りた。

直立六十丈に余る断崖《だんがい》の上に自然の洞窟《どうくつ》があった。そこは昔隣国の侵略に備えるための哨兵《しょうへい》を置いた場所で、昼なら伊那谷を一望の下に見渡せるところである、——伊兵衛は姫と共に裂目を伝ってその洞窟の中へはいった。

「お坐りなさい、立っていても仕様がありませんから」

「——万は城へ帰ります」

「お坐りなさい！　でないと……」

「でないと、どうするの」

伊兵衛は右手を見せた。

「いつかの畷道《なわてみち》のことを忘れましたか、伊兵衛の平手は遠慮をしませんよ」

「………」

姫は身を離して坐った。

伊兵衛はそれっきり黙ってしまった。そのまま時が経って行った。

四辺は漆のような闇《やみ》になった、夜は更《ふ》けてゆくらしい、ほんの時たま、それもごく遠い谷間の方から妙な獣の咆声《ほえごえ》が聞えて来る。

「――狼《おおかみ》だな」

伊兵衛が独言のように低く呟《つぶや》いた。

「そう云えばもう狼が仔《こ》を産む時分だ、……飢えきっているぞ」

七

「そんな――そんな脅しにはのらないから」

姫は外向いたまま云った。

伊兵衛は答えなかった、そして再び耳の塞《ふさ》がるような沈黙が襲いかかった。暫《しばら》くすると狼の声が急に近くなって聞えた。三声ほど咆《ほ》えて消えたが、姫の体は自分でも気付かぬ力でじりっと伊兵衛の方へ寄った。すると伊兵衛は急に立上って洞窟の口へ出て行った。

――どうするのだろう。

姫はその方へ眼をやった。

闇の中のことで分らないが、伊兵衛は裂目を攀《よじ》登《や》ってゆくらしい、暫くばらばらと岩の崩れ落ちる音がしていたが、やがてそれも止み、伊兵衛の立去って行く跫音《あしおと》が聞えた。

——行ってしまうのかしら。

姫は思わず身を起した。

伊兵衛の跫音が全く聞えなくなったとき、ながく引伸ばした狼の無気味な咆声が闇を伝って来た、それは谷に木魂《こだま》して、まるで幽鬼の哭《な》くような空《むな》しい反響を呼起した。

姫は恐怖が身を引裂くかと思った。

ここがどこかも知らない、一歩外は千仞《せんじん》の絶壁だ、仔を産んで貪婪《どんらん》になっている狼、眼前《めのさき》一寸も見えぬ闇は、そのまま恐ろしい壁のようにのしかかって来る。

「——怖い！」

姫はつきとばされたように、いきなり立上りながら叫んだ。

「来てお呉れ伊兵衛、来て、怖い」

洞窟の壁に反響する自分の声が、更に恐怖と絶望の混乱に叩《たた》き込んだ。

「伊兵衛、万が悪かったから赦《ゆる》して、伊兵衛、来て、来てお呉れ、怖い——」

「…………」

なにか返辞がした。

ざざざと岩の崩れる音がして、伊兵衛がとび込んで来た。その体へ、姫は夢中でとびつき抱き縋《すが》った、見栄《みえ》も羞《はじら》いもなかった、主人と家来だということも、男と女だということさえも忘れて、伊兵衛の逞《たくま》しい体へ狂おしく身をすり寄せながら、

「怖い、堪忍《かんにん》して、どこへも行かないで」

と泣きながら叫んだ。

「大丈夫です姫、なにも怖いことはありません、落着いて下さい」

「厭《いや》、厭、万を置いて行かないで、ここにいて、ここに一緒にいて」

「もうその必要はないのです、落着いて下さい、――上へお迎えの者が参って居りますから」

伊兵衛はそう云って姫を押離した。

姫は泣きじゃくりをしながら、訝《いぶか》るように伊兵衛の方を見た。――伊兵衛は静かな調子で云った。

「ここへ来る途中、ずっと道しるべを作って置いたのです、考えていたよりは少し来方が早かった、けれどもう私の望んでいたことは果されました、――どうかお城へお

帰り下さい」

「…………」

「お別れする前にひと言申上げます、姫君はいま悪かったと仰《おお》せられました、どうぞそれを忘れずに、これからは家中の者を慰み者に遊ばさぬよう、武士は主君の御馬前に死ぬべきものです、姫君のお慰み道具ではございません……お分り下さいましたか」

「分りました」

姫は咽《むせ》びながら云った。

「でも伊兵衛は知らないのです、万は、誰をも慰み道具にはしませんわ。父上さまが婿《むこ》にと選んで下すった者を、自分で試してみただけなんです」

「…………！」

「でも、それが女の身に不嗜《ふたしなみ》だとお云いなら慎みます、もう二度とはしません」

伊兵衛は愕然《がくぜん》と頭を垂れた。

婿選み！　婿選みであったのか？　親長侯が婿にと選んだ者を、姫は自ら、果して自分の一生を托《たく》すに足る人物かどうか試みたのだという、だから他言を禁じたのだ。

――その法が並外れていたことは事実だが、決して慰み相手にしたのではなかったのである。

「――伊兵衛、そこか」

裂目の上から幾四郎の声がした。伊兵衛は無言で姫をその方へ導いて行った。

＊　＊　＊

「不届きな奴《やつ》、言語道断な奴だ」

親長は怒声をあげて叫んだ。

「日頃の寵《ちよう》に慢じ、家来の分際をもって姫を拐《さそ》い、山中の洞窟へ押籠《おしこ》めにするなどとは無道極まる、出て参ったらあの伊兵衛めどうするか」

「父上さま、違います」

万姫は激しく頭を振って、

「それは違いますの」

「なにが違う、彼奴《あやつ》は見下げ果てた」

「いいえ、いいえ、万のいうことをお聞き下さいまし、伊兵衛のお蔭《かげ》で万は色々なことを知りました、悪かったのは万です」

「なんだと」

「僅《わず》かばかり武芸の真似《まね》ごとが出来るのを鼻にかけて、これまで家中の者に迷惑をかけたのは愚かでございました、万はゆうべ一夜で本当の自分が分ったのでございます」

「――余には分らんぞ」

「父上さま、来栖へ嫁にやって下さいまし……」

云いも終らず、姫は両袖《りょうそで》に面《おもて》を埋めながら俯向《うつむ》いてしまった。

十九年の今日まで、姫の体にこんな娘らしい表情の現われたのは初めてである、つい昨日まで親長は、

――これが男子であったら。

と幾度口惜しく思ったことであろう。

それほど姫は男勝りであった、髪飾りも化粧も、その烈《はげ》しい気性を柔げることは出来なかった。それがいま耳まで染めながら面を袖に包んで嬌羞《きょうしゅう》に身も消えぬかの姿を見せている……親長は低く呻《うめ》いた。

「そうか、――そうか」

そして急に振返って、

「誰ぞあるか、すぐに馬で伊兵衛を呼びに参れ、急ぐぞ」

「――は」

「あいつめ、早まって腹など切ろうも知れぬ、余の前へ来るまで過ちのなきよう、厳しく警護して参るのだ、急ぐぞ」

近侍の者が走って行く気配を聞きすました親長は、姫の肩へ手をかけて、

「――万、祝言はいつが望みじゃ」

「わたくし、こう思いますの」

姫は袖のなかから云った。

「伊兵衛は多分、承知してくれないでしょうと」

「ばかなことを云え、無理押付けでは理窟をこねるだろうが、こっちには退引《のっぴき》させぬ急所が押えてあるのだ」

「それがございまして？」

「伊兵衛は万と二人きりで、人里離れた洞窟の中に一夜を過したではないか」

「まあ――」

姫は思わず面をあげた。

「どうだ」

親長は肥えた体を反らして笑った。

「これだけで充分だろう、心配する必要はないから行って寝《やす》むがよい、余はこれから

伊兵衛めと談判じゃ、あいつの驚く顔はさぞみものであろうよ」

姫の唇にもようやく微笑がうかんだ。――朝の光が今日の暑さを告げ顔に輝き始めた。

（「婦人倶楽部」昭和十四年九月号）

# 春いくたび

一

霧のふかい早春のある朝、旅支度をした一人の少年が、高原の道をいそぎ足で里の方へと下って来た。……年は十八より多くはあるまい、意志の強そうな唇許《くちもと》と、睫《まつげ》のながい、瞠《みひら》いたような眼《め》を持っている、体はがっちりとしては見えるが、まだどこやら骨細なので腰に差した大小や、背に括《くく》りつけた旅嚢《りよのう》が重たげである。

道は桑畑のあいだを緩い勾配《こうばい》で下って行く、桑の木はまだ裸であるが、もう間もなく芽をふくのだろう、水気を含んだ枝々の尖《さき》は柔らかくふくらんで、青みのさした樹皮には、霧の微粒子が美しく珠《たま》を綴《つづ》っていた。

少年はときどき立止りながら道を急いだ。

もうすっかり明けはなれているのだが、あたりは灰白色の霧に包まれてなにも見えない。……山の上から吹き下りて来る霧は、少年の体を取巻いて縦横に渦《うず》を巻き、押返したり揺れあがったりしながら下の方へと去って行く。……それはまるで音のない激流のなかにいるような感じだった。道が二つに岐《わか》れるところへ来た。少年は其処《そこ》で足を止めた。……そしてなにかを聞き取ろうとでもするように耳を澄ませた。……元服して間もないと思われる額に、濡《ぬ》れた髪毛《かみのけ》が二筋三筋ふりかかっている。かたくひき結んだ唇《くちびる》が微《かす》かに震えた。

人の走って来る跫音《あしおと》が聞えた。

少年の大きな眼がふっと光を帯びた。……なにか叫ぶ声がして、それから霧のなかに人影が見えだした。少年は二三歩たち戻った。……朧《おぼろ》な人影は霧に隔てられて見えつ隠れつしたが、やがて、驚くほど間近へ来てから不意にその姿をはっきりと現した。髪を背に垂れた、十五歳ほどになる武家風の少女であった。手に辛夷《こぶし》の花を持っているが、ふっくらとした頬《ほお》はその葩《はなびら》よりも白く、走って来たために激しく喘《あえ》いでいる唇にも血気《ちのけ》がなかった。……二人はかたく眼を見交したまま、やや暫《しばら》く黙って向き合っていたが、やがて少年がひどくぎこちない調子で、

「送って呉《く》れて、有難う、香苗《かなえ》さん」

と云《い》った。

すると少女も思い詰めた声で追いかけるように云った。

「どうしても、行ってしまうの、信之助さま。どうしても、もう……帰っては来ないのね」

「帰って来るとも、命さえあったら」

「帰る、きっと帰って来る、此処《ここ》は清水家の故郷だもの、何百年の昔から御先祖が骨を埋めて来た土地だもの、望みを果したらきっと帰るよ」

「待っていてよ、香苗は待っていてよ、……ですから」

少女は思うことが口に出ないので、もどかしそうに肩を縮めながら云った、「ですから若《も》しも、御出世をなさらなくとも、若しも戦《いくさ》で怪我《けが》をなすったり、それからもっと色々の、帰り悪《にく》いような事が出来ても、きっと、きっと帰っていらっしてね」

「斯《こ》うして、……約束します」

少年は片手で刀の柄《つか》を叩《たた》いた。少女は微笑《ほほえ》もうとしたが、それは泣くよりもみじめな表情であった。……別れる時が来たのである、香苗は辛夷の花を一輪折り取った。

「庭の辛夷よ、帰っていらっしゃる時まで持っていてね、香苗も一輪、――大切に持っているわ、そしてこんどお眼にかかる時には、二人でこの花を出し合って見るの」

「有難う、大切に納《しま》って置くよ」

「そしてその花があなたをいつも護《まも》りますように」

信之助はよその方を見ながら懐紙を出して花を包んだ。

香苗はもっとなにか云いたい風情《ふぜい》だった。言葉は胸いっぱいに溢《あふ》れている、けれどこんどはなにか云えば泣きだしそうだった、それでぎゅっと唇を嚙《か》みしめていた。

信之助は去った。

濃霧が直ぐに彼の姿を押包み、嘘《うそ》のようにかき消してしまった。……香苗は同じ処《ところ》に立ってながいこと待った、信之助がなにか云い忘れたことを思い出して、戻って来るかも知れない、もういちど別れの言葉を呼びかけるかも知れない。……ずいぶんながいこと待ったけれど、信之助は戻って来ないし、声も聞えなかった。……それで香苗は眼を閉じ、いま去って行った人の俤《おもかげ》を記憶に留《とど》めようとした、ところがどうした訳かそこにはもう信之助の姿は浮かんで来なかった、ただもやもやとした幻のような影が、とらえどころのない形を描くだけであった。……そして哀《かな》しみのように霧が匂《にお》った。

――行ってしまった。

香苗は力の抜けた心でそう呟《つぶや》いた。

――自分の姿まで持って行ってしまったわ。……本当に帰って来るかしら、帰って来るかしら。

甲斐駒《かいこま》の嶺《みね》がぱっと、眩《まばゆ》いばかりに朝日に輝くその頂を現した。霧が霽《は》れだしたのである、灰白色の帷《とばり》はようやく薄れ、ひき裂けたり、固まったり、また千切れたり尾を曳《ひ》いたり、畑の桑や林の樹々《きぎ》にからみつきながら消えて行った。

香苗はそれでもなお、心残るさまに立ちつくしていた。

二

春は足早に過ぎて行った。

甲斐駒の峰々から残雪がすっかり消えると、朝毎《ごと》の濃霧もいつか間遠になり、やがて春霞《はるがすみ》が高原の夕を染めはじめた。谿川《たにがわ》の水は溢れるように嵩《かさ》を増し畑の麦は日毎に伸びた。……辛夷が散り桃が咲き、やがて桜も葉に変る頃《ころ》が来ると、高原はいっぺんに初夏の光と色とに包まれる、時鳥《ほととぎす》や郭公《かっこう》の声が朝から森に木魂《こだま》し、谿谷《けいこく》の奥から野《や》猿《えん》が下りて来る。

香苗は生まれて初めて、この眼まぐるしい春の移り変りを心にとめて見た。

文久元年の春であった、自然の相《すがた》をそのまま写したように、世の中もまた激しい転変を迎えていた。……去年、詰り万延元年三月、江戸幕府の大老井伊直弼《なおすけ》が桜田門外に斬《き》られてから、ながいあいだ鬱勃《うつぼつ》としていた新しい時代の勢が、押えようのない力で起《た》ちあがって来た。暗澹《あんたん》とした世の彼方《かなた》に、最早《もはや》拒むことの出来ぬ新時代の光が近づきつつある。あらゆる人々の眼がその光の方へ向いていた。あらゆる人々がその光の方へ両腕をさしのべていた。山奥から海浜から、青雲の志をいだいて若者たちが京へ、江戸へと集まって行った。

信之助もその一人であった。……彼の家は甲斐七党の旗頭《はたがしら》として、幾百年このかた其《そ》の村に土着し、家柄《いえがら》高き郷士の名を相続して来たのだが、いつか家産は傾いていて、去年の秋の末に父が死ぬと、田地も家屋敷もすっかり他人の手に渡っていることが分った。……早く母を亡《な》くしていた信之助は、捨てられた猿《さる》のように孤独になった、けれど彼はそれを哀しむことさえせず、十八歳の胸いっぱいに、冒険と野心の焔《ほのお》を燃やしながら、濁流のような世の中へと出て行ったのである。

夏が来た。……風のない、ぎらぎらと煎《い》りつくような日が続いた、あるときは雷鳴が山峡にはためき、電光と白雨とが高原の野を狂気のように叩きつけた。

香苗の家は信之助の清水家に次ぐ旧家であった。厚さ三尺もある土塀《どべい》が、屋敷まわりの三方を取巻いていた。その中には母屋《おもや》だの隠居所だの、厩《うまや》だの下男たちの小屋だのが建っていたし、広い柿畑《かき》さえ取入れてあって、その柿畑のうしろはそのまま段登りに、深い松林で山へと続いていた。……そして秋になると、幾十疋《ひき》もの野猿の群が、柿を盗みに屋敷の中へやって来た、その土地では猿を殺さない習慣なので、威《おど》しの空鉄砲で追い払うのだが、猿たちが盗みとった柿を片手に抱えて、けたたましく叫び交しながら逃げて行くさまは面白いみものだった。

けれどその年の秋に限って、野猿たちは鉄砲で威される心配がなかった、彼等は毎朝、思うさま柿を食べ、持てるだけ獲物を持って帰ることが出来た。……空鉄砲を射《う》つことも、追い払うことも香苗が禁じたのである。

香苗は信之助のことを思ったのであった、彼が出て行ったところでは、日毎に鉄砲が火を吹いているであろう、刀や槍《やり》が光り飛んでいるに違いない、信之助はその弾丸をくぐり刃《やいば》のなかに囲まれているのだ。……野猿の群に射ちかける空鉄砲の音は、そのまま信之助の命を射止めるもののように思われる、割り竹で追い立てる下男たちの姿は、傷ついた信之助を追い廻す幕吏の手を想像させるのだ。

香苗は、嬉々《きき》として柿畑の柿を荒している野猿の群を、幾朝も、幾朝も、ふところ手をしながら昵《じつ》と微笑《ほほえ》みの眼でみていた。

やがて柿の実が、細枝の尖《さき》に一つ二つ、霜に打たれたまま取残され、野猿の群が姿を見せなくなると、驚くほど早く冬が来た。……甲斐駒の頂上に、或朝《あるあさ》ふと白いものをみつけたと思ったのが、いつかしら峰々にひろがり、次第に下へと伸びて来る、裸になった桑畑の向うに、鎮守の森がひっそりと霜に凍って、弱々しい太陽の光が、重たく垂れさがった雲を割って、時々そっと畑地に射《さ》しては消えた。

遂《つい》に雪が来た。耕地も森も村々の家も、ながい雪の下に眠りだした。……吹雪の夜、厨《くりや》の戸がことことと鳴るのに驚いて出て見ると、餌《えさ》をあさりに来た鹿《しか》であったり、時には犢《こうし》ほどもある狼《おおかみ》であったりする。雪が歇《や》んで、月の明るい夜空には、鶴《つる》の渡る声を聞くこともあった。

こうして冬は、その重い銀白の外套《がいとう》で、高原の村々を無限のように蔽《おお》い隠してしまった。

三

香苗は待っていた。

時はすばやく経《た》って行った。……香苗が十九の年になったとき、甲府の名高い富豪の家から嫁に欲しいという話があった。

香苗は嫁には行かなかった。

香苗の父は数年まえから新しい事業を創《はじ》めていた、日本ではまだよく知られていない葡萄酒《ぶどうしゅ》の醸造を思い立ったのである。それは困難な仕事であった、樹の育て方も、搾《しぼ》り方も、それを醸《かも》したり、貯蔵したりする方法も、すべて手探りでやるようなものであった。失敗が失敗に次いで起った。山が売られ田が売られた、家も屋敷もいつか資金のかたに取られていた。……甲府の富豪と香苗との縁談は、そういう状態のときに始まったのである。けれど香苗は、遂に嫁入ろうとはしなかった。

更に幾年か経って、世は明治と改元された。

そして秋が来たとき、高原の西の方にある村へ、維新の戦で傷ついた青年の一人が帰ったという噂《うわさ》が弘《ひろ》まった。

その噂を耳にすると直ぐ、香苗はその村へ出掛けて行った。……よく晴れた日で、熟《う》れた稲の穂波の上に、雀《すずめ》や百舌《もず》が騒がしく飛び交していた。道は遠かった、森をぬけ、丘をめぐり、細い谿流の飛沫《ひまつ》をあげている丸木橋を幾たびか渡った。……その青年の家は村の古い郷士の末であった。

「……知っています」

青年は訪ねて来た香苗を、横庭の池の方へ導きながら語った。

「清水信之助とは伏見の戦争で同じ隊にいました。彼は勇敢な男で、命知らずという名を取っていました。……そうです。私は彼と一緒に寝ました。同郷だということを知ってからはいつも同じ蓆《むしろ》で眠り、同じ鍋《なべ》から菜粥《ながゆ》を啜《すす》りました。二年のあいだそういう風に戦っていましたが、……私がこの右足を失った日に」

彼はそう云いながら、添木《そえぎ》を当てた右の太腿《ふともも》を見やった、それは膝《ひざ》の上から切断されていた。

「その日に、……あの方は？」

「清水と私とは別れ別れになりました、それ以来、私は彼を見ないでしまいました。……集中して来た砲弾が私たちの小隊を全滅させたのです。生残ったのは、……片足を失った私と他に、人夫が二人だけでした」

「ではあの方は、あの方は……信之助さまは」

「私は二度と彼を見ませんでした」

青年は遠くの空を見やって咳《せき》をした。それから、苦しそうに松葉杖《づえ》を突いて、頭を振りながら池の畔《ほとり》を廻って立去った。

香苗は家に帰って来た。……そして自分が少しも泣けないのに気付いて驚いた。……少しも泣かなかった、少しも、……信之助が死んだという青年の言葉は、なにかしら空々しいことのように感じられ、まるで知らぬ世界の知らぬ人の話としか受取れなかった。そして、

――きっと帰る、必ず帰って来る。

斯うして約束すると、刀の柄を叩きながら云った信之助の声の方が、青年の話よりも強く鮮かに、もっと生々して耳に蘇《よみがえ》って来た。

その冬、初めての雪が降りだした頃、香苗の家は遂に倒産した。……明日はその屋敷を立退《たちの》かなければならぬという、その前夜のことである。庭先に激しい物音がしたので、なにごとかと出て見ると、三十尺も高く伸びていた辛夷《こぶし》の木が倒れたのであった。

香苗は自分の部屋の窓を明けてそれを見た、枝を張り過ぎた辛夷は、雪の重みを支え兼ねて根元から折れたのである、……香苗はそれを見たとたんに恐しい悲鳴をあげながらうち伏した。

「信之助さまが、信之助さまが」

声をふり絞って狂おしく叫んだ。

父や母や、別宴のために集まっていた親族の人々が驚いて駈《か》けつけた。……香苗は身もだえをし、裂けるような声で信之助の名を呼びながら泣いた。

また会う日のために、二人が取交した約束の花、その辛夷が倒れたのを見て、香苗は信之助の死が本当だったということを感じたのである、……いや、雪の上に倒れている辛夷の木が、そのまま信之助の死体のように見えさえしたのだ。

香苗は泣いた。別れて以来いちども泣いたこともない香苗が、そのまま泣き死んでしまうかと思われるほど激しく泣いた。

……そして、一家が甲府の町へ移って行く日、彼女は代々の檀那《だんな》寺《でら》である桂円寺に入って髪をおろした。

香苗の涙の日が始まった。

四

春いくたび。……秋いくたび。

高原の村にも、年々の世の移り変りは伝わって来る、江戸が東京となり皇居が御東《ごとう》遷《せん》になった。諸藩が廃されて府県が置かれた。佐賀の乱が起り、薩摩《さつま》の乱が起った。人々はもう髷《まげ》を切っていたし、刀を差すことも禁ぜられた。マンテルを着た役人や、帽子を冠《かぶ》った人も珍しがられなくなり、やがて新聞がこの高原の村々にも配られだした。

香苗は桂円寺にはいなかった。

いつかの日、信之助と別れた二岐道《ふたまたみち》の畔に、小さな草庵《そうあん》を建て、朝夕を静かな看経《かんきん》に送り迎えしていた。……ときおり彼女の頰《ほお》には涙の跡があったけれど、眉《まゆ》にも眼許《めもと》にも、今は心の落着いた静かさが溢れている。たとい少しばかり愁《うれ》いと哀しみの色が現れたとしても、却《かえ》ってそれは慈悲の光を加えるとしか見えなかった。

清国《しんこく》との戦争が布告されたとき、香苗は高原から下りて、街道の町はずれにささやかながら一棟の救護院を建てた。……ようやくゆききの繁《しげ》くなった旅人たちのなかで、貧しい人々には食を与え、病者には薬と部屋とを与えるためである。

それからのち数年のあいだ、香苗は朝早く草庵を出て救護院へ通った。……そこには常に二人から十人までの貧しい旅の病人が引取られていた、多くても十人は越さなかったし、少ないときでも二人より欠けたことはなかった。

或早春の朝、彼女が救護院へ行くと、そこには前日までいた二人の姿がなくて、新しい一人の老人が寝かされていた。

「珍しいこと、一人だけになりましたね」

「はい、昨日までいたあの二人は一緒に出て行きました、そのあとでこの老人が運ばれて来たのです」世話役の老婆が粥を作りながら答えた。……月心尼《げっしんに》（香苗の法名）は静かに病人の枕許《まくらもと》へ近寄って見た。老人の髪は銀のように白く、額には斜めに刀痕《かたなきず》があった、……上品な眉と唇許《くちもと》が、その刀痕と共に老人の身分を語っているように思われた。彼はよく眠っていた。

「普通の御病人とは違うようでございますよ」

老婆が囁《ささや》くように云った、「お召物も立派ですし、お口の利《き》きぶりも御様子も上品でございますの、そしてお供の人を伴《つ》れていたようなお話でございましたが。……お気の毒なことに頭を悪くしておいでだそうで、そのお供さんともはぐれ、此処《ここ》まで来て病気におなりなすったのでございますね」

「それはお気の毒な……」

月心尼がそう頷《うなず》いたとき、その老人が不意に床の上へ起き直った。……あまり突然だったので、月心尼も老婆もあっと胸を衝《つ》かれた。

「ああ見える」

老人は大きな眼を瞠《みは》りながら叫んだ、「……錦《にしき》の御旗が、……砲煙の向うに、槍や刀がきらきらと光っている向うの方に、朱《あか》い朱い、美しい錦の御旗が見える」

「若《も》し、……若し、どうなされました」

月心尼は急いで側《そば》へ寄った。「……心をお鎮《しず》めなされませ、此処は甲斐国の田舎町でございます、戦はもう昔のことでございますよ、大砲も刀も槍も此処にはないのですよ」

老人は振返って彼女を見た。……なんの色もない、虚《うつ》ろな眼であった。彼はまじまじと月心尼の顔を見戍《みまも》っていたが、やがて寂しそうに首を振りながら云った。

「なにか、云ったのですね。……失礼でした、すっかり頭が狂っているものだから。

……自分でも訳の分らぬ言《こと》を云うのです、時々。……恐らくまたあの戦の時のことを申したのでしょう」

「戦争でお怪我をなすったのですね」

「そうです、伏見の戦でした、敵の砲弾にはね飛ばされて」

「伏見。……伏見の戦で砲弾に……」

月心尼は突き飛ばされたように身を退《ひ》いた。忘れることの出来ない言葉である、それは既に遠い昔のことであった、秋の日盛りに訪ねて行ったあの村の青年から聞いて、もう三十余年の月日が経っている。……けれど月心尼の心にはまだ昨日のことのように生々しく残っている言葉だった。

「あなたは鳥羽で、鳥羽で戦ったのですね、鳥羽の戦で大砲の弾丸に。……それでは若しや、若しやあなたは、信之助さまではございませんか、清水信之助さまでは」

「信之助……清水……」

老人はけげんそうに首を振った、「……私の名は松本吉雄と云います、それに、……そういう名の人は知りません」

「よく考えて下さいまし」

月心尼は力を籠《こ》めて云った、「心を鎮めてよく思い出して下さい、あなたは信之助という名に覚えはありませんの？　ずっと昔、霧のふかい朝、香苗という娘と別れたことはありませんの、必ず帰って来ると云って、また会う日の約束に辛夷の花を一輪ずつ、お互いに持ち合って別れたことはございませんか」

老人は昵《じっ》と眼をつむっていた。そして暫《しばら》くすると静かに首を振って云った。

「御尼僧。……あなたも、誰かを待っておいでなのだな」

「………」

「出来ることなら私は、その人だと云ってあげたい、けれど。……私にも捜している者がいるのだ、あなたが待っているように、私にも私を待っていて呉れる者がある。……私は大野将軍の副官として些《いささ》かの働きをした功で、将軍の家に引取られていた、そこにいれば安穏な生涯《しょうがい》が送れた。……けれど私は、そこを出て来たのです、私を待っていて呉れる人に会いたいと思ったからです」

月心尼は老人の言葉を夢のように聞いていた。……聞きながら老人の顔を食い入るように見戍った、どこかに信之助の俤《おもかげ》がありはしないかと思ったのである。……けれど、別れて以来殆《ほと》んど四十年になる今では、そして多くの辛酸に揉《も》まれて、遥《はる》かに青春から遠ざかっている今では、たとい其《その》人としても直ぐ見分けのつく筈《はず》はあるまい。……月心尼の胸は新しい失望に刺されるような痛みを感じた。……老人は間もなく横になった。

五

その夜、草庵へ帰った彼女は、東京の大野将軍に宛《あ》てて手紙を書いた。松本吉雄という人に就いての問合わせである、書いてしまってから、彼女はそれを出そうか出すまいかに迷った。……そんなことをしても無駄《むだ》だと思ったのである、月心尼は三日のあいだ、その手紙を机の上に置いたままにしていた。然《しか》し、そのとき汽車が初めて甲府の町まで延びて来て、郵便が一日で東京へ行くことを知った。

彼女は手紙を出した。

そして其日から草庵に籠《こも》ってしまった、返事の来るまでは外へ出る気もしなかったのである。……霧の下りて来る季節で、朝な朝な、草庵の周囲は灰白色の帷《とばり》に包まれた、そして日が高く昇ると、雪のある甲斐駒の嶺《みね》が眩《まぶ》しくぎらぎらと輝いた。……月心尼は草庵のなかに坐ったまま、終日看経していた、心は静かに澄んでいたし、眼には仏の慈悲を思わせる浄光が溢《あふ》れていた。

その朝もふかい霧だった。

一人の配達人が東京からの返事を持って来た。……月心尼はそれを草庵の門口で受取り、静かに庵室へ入って封を切った。……手紙は将軍の直筆《じきひつ》で認《したた》められたものであった。

松本吉雄は自分が鳥羽の戦場で拾った男である、そういう書出しであった。……敵の集中砲弾にはねられて頭をやられ、すっかり記憶力を無くしているが、勇敢な兵士として自分の部下でよく働いた。そして薩南《さつなん》の乱には自分の身代りになって、敵の狙《そ》撃《げき》弾のため胸を射抜かれた。……彼の右胸にある弾痕が、自分の命を助けて呉れた記念である。……彼は尋ね人があるからと云って自分の許を去ったが、不自由な身だから、若し其地で困っているようなら是非面倒をみて貰《もら》いたい、此処に僅《わず》かながら金を封入する。

――そう書いた文面の末に、彼はもう自分の名も忘れているが、本名は清水信之助と云う者である。

と筆太に認めてあった。

「ああ、……」

月心尼は苦しげな声をあげた。……そしてその声よりも早く、彼女は立って、ふところから古びた紙包を取出した。

辛夷の花の包である。

月心尼は草庵を出た。走るまいと勉《つと》めたけれど、いつか気付くと走っていた。なにも思わず、なにも見えなかった。ただ足に任せて道を急いだ。

「ええ、あの御病人は、……」

四、五日見えなかった月心尼を迎えて、世話役の老婆は静かに答えた、「……ゆうべ、さようです、ゆうべ暗くなってから、ひょいと向うへ出掛けておいでなされましたですよ」

「…………」

「さようです、ひょいと行っておしまいになりましたですよ、誰かあの人を待っているからと仰有《おつしや》いましてね。……月心さま、ですからもう一人も此処には居《お》りません、この救護院はじまって以来のことでございますが、一人もいなくなりましたですよ」

月心尼はなにも云わなかった。

草庵へ帰る道はまだ霧に包まれていた。吹き下りて来る濃霧は、彼女の軀《からだ》を取巻いて渦《うず》のように揺れあがり、押戻したり千切れたりしながら流れ去って行った。

月心尼の頰には泪《なみだ》が縞《しま》をなしていた。けれど、いま彼女の泣いている顔には、これまでながいあいだ静かな、慈悲の微笑をたたえていたよりも明るく、活々《いきいき》とした望みの色が満ちていた。

「信之助さまは帰って来ます」

月心尼は、いや香苗は、そのかみ信之助と別れた道の上へ来ると、じっと眼を閉じながら呟いた。「……きっと、きっと、信之助さまは此処へ帰っていらっしゃる」

突然、彼女の閉じた瞼《まぶた》の裏へ、あの日の信之助の姿が歴々《ありあり》と浮かんで来た。……別れた直ぐあとでも思い浮かべることの出来なかった信之助の姿が。……香苗はそのとき初めて、信之助を自分の手に取戻したように思った。

（「少女之友」昭和十五年四月号）

# 与之助の花

一

肚《はら》をきめている筈《はず》なのに、いざその箱を眼《め》の前に見ると、さすがに爪尖《つまさき》から氷のような戦慄《せんりつ》が這《は》いのぼって来るのを感じた。

——早くしなければ見つかる。

背中に白刃《はくじん》を突きつけられている気持ちだった。手を伸ばしてその箱を摑《つか》んだ。五寸角に、長さ三尺足らずであるが、豪奢《ごうしや》な螺鈿《らでん》のひどく持重りのするものだった。……与之助は両手で持ってそっと床へおろすと、朱色の打紐《うちひも》を手早く解き、中から長さ二尺ばかりの筒型の品物を取出して、傍《そば》においてある手燭《てしよく》の光でつくづくと見た。

——たしかにこれだ。

たしかに目的の品である。

与之助は痙攣《ひきつ》ったように頷《うなず》いた。そして持ってきた風呂敷包みを解くと、その中からよく似た筒型の品を取出して箱へ納め、元のように打紐を結んで棚《たな》へあげた、——仕事は終って箱から出した方を風呂敷に包み、衿《えり》をはだけてふところから背へ縛《しば》りつけ、手燭を吹き消すと、静かに二階から下りていった。

時は享保《きようほう》二年三月下旬、処《ところ》は越前の国大野、土井甲斐守《かいのかみ》利知四万石《ごく》の居城、亀山城本丸にある宝庫の中の出来事であった。

与之助は宝庫を出、音のしないように戸前を閉め、ほっと太息をついたとたん、

「うまいことをやったな、折田」

という声がして、闇《やみ》の中からすっと出て来た者があった、与之助はいきなり水を浴びせられたように、あっと云《い》ってとび退《の》いた。

「……だ、誰だ」

「そんなに愕《おどろ》くことはないよ、己《おれ》だ」

「木下、貴公……か」

「いかにも丈右衛門だ、おい」

相手は闇の中で、にっと白い歯を見せた。

「御勘定奉行《ぶぎよう》の御二男が、御宝庫へ忍び込むというのは大胆不敵だぞ、ちょいと耳うちをして呉《く》れれば、貴公などが無理をせんでもこの丈右衛門が手を貸してやったのに」

「木下……貴公は、思い違いをしている、拙者は悪心でやったのではない、是《これ》は」

「いいよいいよ分っている、あの螺鈿の箱は長いことお手付かずだ、御重宝かも知れ

んがああやって徒《いたず》らに埃《ほこり》に埋めておくより、取出して今日の役に立てる方が理屈になっている、そうだろう……己は黙ってる、案外これで口は固い男だからな」

ふふふという低い笑い声が、与之助には骨を刺すもののように聞えた。

木下丈右衛門は、徒士《かち》組でも行状の悪いので評判の男だった。彼に見込まれたら骨まで舐《しゃぶ》られる。悪いところをみつかった。そう思うと、反射的に父のこと兄のことが頭へうかんだ……勘定奉行を勤める勤直一方の父、弟思いで、孝心の篤《あつ》い兄、……若《も》し丈右衛門の口からこのことが世間へ洩《も》れたら、父や兄はどうなるだろう。

――生かしてはおけぬ。

咄嗟《とっさ》に心を決めた与之助は、

「よし、それでは相談をしよう、木下」

と呼びかけながら、闇の中で間合を縮めた。

「拙者は悪心でしたことではない、時が来ればそれは貴公にも分って貰《もら》えることだ、それまで黙っていてくれるか。え……どうだ木下、黙っていて呉れるなら」

「おっと、おっと危い！」

与之助の右手が大剣の柄《つか》へかかるより疾《はや》く丈右衛門は身軽に二三間とび退いていた。

「その手は喰《く》わんぞ、ここでばっさりやられるほど初心な相手じゃあねえ、折田……

もういちど云うが己は黙ってるが、例の方は承知だろうな」

「例の方とは……」

「白っぱくれちゃあいけねえ、是だけの大仕事に眼をつぶらせて、まさか独り占めという法はねえだろう。……明日行くからな、一杯呑《の》めるだけ頼むぜ」

くるりと無頼漢の正音《しょうね》を出した。

「十両だ。いいな、十両だぜ」

そう云って、低く鼻で笑うと、彼は消えるように闇の彼方《かなた》へ去って行った。

――十両、十両か。

与之助はほっと息をついた。

――五十金、百金とでも云うかと思った。十金ぐらいのことなら自分の持ち金の中からでも出せる。

――慾《よく》にからむ奴《やつ》は、慾さえ満足させてやればどうにかなる、――三十日か五十日、そのあいだ黙らせておけばいいのだ。

そう考えると却《かえ》って気が楽になった。与之助はそっと宿直《とのい》の詰所へ戻って行った。

「是で終《しま》いです」

与之助はごくっと唾液《だえき》をのみながら云った。

「もう頂戴《ちょうだい》には出ません、是で終いですからどうか都合して下さい」

「この前もそう云ってたじゃないか」

信蔵は弟の眼を頰《ほお》に感じながら、さっきから頑強《がんきょう》に庭を見ていた、――四月（新暦五月）の庭に伸びるさかりの草木で、いっぱいに烈《はげ》しい陽《ひ》を浴びた若葉が、むせるような緑を盛り上げている。

「……与之助」

信蔵は眼を動かさずに云った。

「お前、病気のお届けをして、この十日あまり登城せぬというが本当か」

「はあ、――工合が悪かったものですから」

「こんなことを云うのは厭《いや》なんだが」

と信蔵は思い切ったような口調で、

「おまえ、此頃《このごろ》まるで人間が変ったな、……この家にいると気鬱《きうつ》だと云って、川端の下屋敷へ移ったのは三月だった、それから間もなく金をせびり出した、数えて見たらひと月あまりのうちに百金を越している、金を惜しむ訳じゃない、叱《しか》るんでもない、心配なんだ、若い者はついした誘惑にも身を誤る、それが拙者は心配なんだ」

「申訳ありません、兄上。……けれどわたくしだって武士です、無意味に身を誤るようなことは決して致しませんから」

「じゃあ話して呉れ、いったいどうしてそんなに金が要るんだ、なんに遣うんだ」

そう云って初めて振返った兄の眼から、与之助は苦しそうに面《おもて》を伏せた。信蔵は、暫《しばら》く弟の蒼白《あおじろ》い顔を見戍《みまも》っていたが、

「与之助、おまえ此頃、木下丈右衛門と往来しているそうだな。……どうしてあんな男と交合《つきあ》うようになったんだ、あの男が世間からどんな眼で見られているか知らぬ筈はなかろう、いったい木下とどんな関係があるんだ」

「兄上、お願いです」

与之助は両手を突いて哀訴するように云った。

「お願いですから、なにも訊《き》かないで二十金お貸し下さい、もうこんど限りお願いは致しません、どうしても入用なのです、理由はいつか兄上にもお分りになる時がまいります。それまでどうかなにもお訊きにならないで、こんどだけ二十金御用立下さい、この通りお願いです」

「……そうか、……やっぱり、云えないのか」

信蔵は弟から眼を外《そ》らすと、立って静かに部屋から出て行ったが、間もなく金を白

紙に包んで戻って来た。

「では二十金」

そっと弟の前へ差出して、

「是限りという約束だぞ」

「……かたじけのうございます」

与之助は兄の顔を見ることが出来なかった、金包みをふところに入れると、挨拶《あいさつ》してすぐに立った……力の無い、そのくせなにかに追われているような挙動であった。

「与之助、庭を見て行かないか」

信蔵は明るい声で呼び止めながら立った。

「おまえの好きな花が咲き出したぞ」

「はあ……わたくしのすきな花……」

「苧環《おだまき》だよ、如何《いか》にもおまえのすきそうな花だと云って由紀がよく丹精したから、今年はみごとに咲き出しているぞ」

「……そうですか」

「二三本剪《き》って行ったらいい」

そう云いながら兄弟は庭へ出て行った。

二人が近づいて行ったとき芍薬《しやくやく》畑に、一人の美しい娘が草抜きをしていた。……折田家の遠縁に当る孤児で、七年ほど前から此家に引取られている。名は由紀、年は十八で、とびぬけた美貌《びぼう》というのではないが、少し憂《うれ》いのある眉《まゆ》つきと、つぶらな、黒い木実のような眼許《めもと》に、形容しようのない魅力がある。……兄弟の父折田税所《さいしよ》は、いずれ長男信蔵の嫁にするものと早くから定《き》めていた。

「由紀、……与之助がきたよ」

信蔵がそう声をかけると、娘は吃驚《びつくり》したように身を起して振返った。……強い日光にさしつけられて、ぼっと上気した顔に、健康な匂《にお》うような羞《はじら》いの花が咲いた。

「まあ、ようこそ」

「苧環を剪って行くと云うんだ、咲いてるのがあるかしらん」

「ええ、咲いておりますわ」

由紀は芍薬畑の脇《わき》の方へ振返った。

「今年はたいへん色が濃うございますの、お剪りになるのでしたら、わたくし鋏《はさみ》を持ってまいりますわ」

「いや折ればいいだろう」

「折り悪《にく》うございますから、すぐ持ってまいります」

由紀は会釈《えしやく》して家の方へ小走りに去った。

与之助はじっと苧環の花をみつめていた。指を触れれば濃い紫がそのまま指に付きそうな花だった。……けれど葉のなりも他の草とは違ってどこか寂しげな、云って見れば、うら若い尼僧が憂いに沈んでいるというようなあわれ深い花であった。

「与之助、拙者はなあ」

信蔵はぽつんと云った。

「おまえと由紀とを一緒にして、早く分家させる日が来ればと思っているんだぞ」

二

「兄上、それは兄上」

「まあ聞け、拙者には分っている」

信蔵は花を見下ろしたまま続けた。

「おまえが由紀をどう思っているか、疾《と》うからこの兄には分っていた。だから、いいか、由紀のことは心配するな。……父上のお考えがどうあろうと、兄がいる以上は大丈夫だ、いいか、そんなことで気を腐らせる必要は、ちっともないぞ」

「兄上は、……兄上はそんな風に……」

与之助は眉のあたりを蒼くした。そして何か抗弁するように兄を見たが、それ以上なにも云うことが出来なかった。

……由紀が鋏を持って戻って来た。

剪花を手に、屋敷を出る与之助を、信蔵は門前まで送って出た。

「与之助、工合が直ったら登城する方がいいな」

「はあ、そうします」

「父上に知れるといけないからな」

「二三日したら、出仕しようと思います」

そう云って、与之助は逃げるように兄の前から去ろうとしたが、ふと振返って、

「兄上、まだ江戸から便りがないでしょうか」

と訊いた。

「江戸から便り?」

「御宝物お貸し下げの再願いです」

「あれか。……うん」

信蔵は首を振った、「あれはやっぱり諦《あきら》めた方がいいな、御宝物の中でも大切な品だ、再願いでお許しが出るものなら、去年のお願いのときお許しが出る筈だ。あれは

もう諦めた方がいいと思う」

「そうでしょうか。……では」

ありありと失望の色をうかべて、白く乾いた日盛りの道を、与之助は足早に歩き出した。

胸も頭も、兄の愛情で溢《あふ》れるようだった。十二歳の時母親を喪《うしな》って、父はただ厳格一途《いちず》の人だった。幼い時分から体が弱く、武芸よりも学問の方が好きな彼は、——武士の子に似ぬ柔弱者。

といつも父から叱られてばかりいた……。

それを庇《かば》ってくれるのは兄だった。父の振上げた拳《こぶし》を、幾たび兄の腕の下で避《よ》けたことであろう。父には許されぬ書物を、幾たび兄に買って貰っただろう。当時まだ高価でもあり、寧《むし》ろ稀覯《きこう》でさえもあった蘭書《らんしょ》を、遠く大坂から長崎まで手を伸ばして求めて貰ったこともあった。

どんな無理を云っても、曾《かっ》て眉をひそめた兄の顔を見たことがなかった。母親でもこんなに寛大ではあるまい、そう思うことがしばしばだった。

——それが今日、初めて、二十金という無心に眉をひそめた。

——当然だ、当然だ、いくら兄だって。

与之助は兄の声音《こわね》を思い出して、歯を喰いしばりながら心のなかで叫んだ。

——いくら良い兄上だって、
追い風が、道の上に灰色の埃《ほこり》を捲《ま》いて走った。……初夏の太陽は、眩《まばゆ》いばかりに烈しく照っている、与之助は夢中で歩いて行った。すると城下町を出はずれて間もなく、

「おい、ここだここだ」

と大声で呼びながら、右手の雑木林の中から木下丈右衛門がとびだして来た。

「ひどく待たせたじゃないか、まる一刻《いっとき》になるぜ、若しかしたら高飛びをしたんじゃないかと思ったくらいだ」

「するかも知れない」

「冗談じゃあねえ」

並んで歩きながら、丈右衛門がにっと白い歯を見せて肩を振った。

「おめえにそんなことが出来るか、若しそんなふざけた考えが起ったら、父御と兄御のことを思い出すがいい、……己がいちぶ始終を訴え出たときのことをさ」

「そうすれば貴公の罪も明白になる」

「むろんのことさ、九百石御勘定奉行の一族が道伴《みちづ》れなら、己はいつでも無頼なこの首を進呈するよ」

与之助はふところから金包を出すと、突きつけるように相手に渡して云った。

「さあ約束の金だ、然《しか》し断っておくが是が最後だぞ、もうあとは御免だぞ」

「いいとも、だいぶ已も恩借にあずかったからな」

「きっとだな、念を押したぞ」

「まあそうむきになるな、是だけあれば当分は温和《おとな》しくしているよ、じゃあいずれまた——」

ひょいと肩を振り、にっと笑って丈右衛門は引返して行った。

与之助は追われるように下屋敷へ帰った。

三月のあの夜から間もなく、彼は父や兄の許を去って、真名川畔にある下屋敷に住んでいた。……そこは渓流《けいりゅう》に臨んだ断崖《だんがい》の上で、別墅《べっしょ》造りの質素な構えだが、広い庭のはずれはそのまま渓谷に向ってひらき、屋敷周りは松と櫟《くぬぎ》の林で、一里彼方に城下町があるとは思えぬほど閑寂な山荘であった。

「お帰りなされませ、お疲れでございましょう」

留守番の藤吉老夫婦が出迎えるのに、与之助は軽く頷《うなず》いただけで奥へ入った。母屋《おもや》の廊下を鉤《かぎ》なりに曲ると、曾て母の病間に建てた離れがあった。仕切りの杉には、「入室を禁ず」と書いた紙が貼《は》ってある。それを明けて入ると、中は八畳の部屋で、東と南に窓があるのだが、どちらも厳重に雨戸が閉じてあるので、部屋の中は一寸先も見えぬ闇だった。

＊　＊　＊

蠟燭《ろうそく》の火がぽっと光暈《こううん》を放っていた。

部屋の中央に幅三尺、長さ十尺ほどの台がある。蠟燭はその一端に立っている。その蠟燭の火と相対して、枠《わく》に入れた鏡玉が二個、おのおの四寸ほどの間隔で立ててある。だから蠟燭の光は、二つの鏡玉を透《とお》して、一方の端にある立板に、光の輪を射《さ》しつけていた。……是は最も原始的な、鏡玉の焦点距離を計る方法と思われるが、果して与之助はなにをしているのだろう？

彼はいまその台の前で、丸い筒型のものを削っていた。——身の周りには幾つもの手桶《ておけ》や、木屑《きくず》や、金属板などが取り散らしてあり、彼自身も軀中《からだ》いろいろな削り屑にまみれていた。

「……もうひと息だ、もうひと息だ」

自分を唆《けしか》けるように呟《つぶや》きながら、夢中で仕事を続けていた与之助は、突然……手を休めて顔を上げた。

生色のない顔色、尖《とが》った頰骨《ほおぼね》、白い唇《くちびる》、そしてただ一つそこだけに全生命を凝結しているような双眸《そうぼう》。彼はその眼で宙を睨《にら》みながら、なにかを聞きとろうとするように、暫《しば》く耳をすましていたが、不意に座を立って、部屋から出て行った。

外は今日もすばらしい天気だった。

暗がりから廊下へ出ると、庭いっぱいに照っている日光の反射で、与之助は思わず、両眼へ手をやった。……それを見つけたのであろう。庭の向うから遠慮ぶかく近寄ってきた者があった。……由紀であった。

「由紀さんだな、なにか用ですか」

眩《まぶ》しそうに眼を細めながら、与之助は咎《とが》めるような口調で云った。

「先日は失礼いたしました」

由紀は面を伏せたまま会釈して、

「信蔵さまのお申付けで、わたくし今日から此方《こちら》のお手伝いをしにまいりました」

「兄上が、兄上が行けと云ったのですか」

「はい、お軀の工合がすっかりよくなるまで、よくお世話をするようにと、それから、……あの若しかして」

と娘はやはり面を伏せたまま云った。

「もしかして、きてはいけないと仰有《おつしや》っても兄の申付けだと云って、戻ってはならぬと、固いお申付けでございました」

「それは困ります」

与之助は苦しそうに云った。

「ここには藤吉夫婦がいるし、少しも身の周りの不自由はない、却って人が多い方が迷惑です。……怒らないで下さい、拙者は静かな処《ところ》にいたいんだ、貴女《あなた》に限らず、誰にも側《そば》にいて貰いたくはないんです」

「よく分っております」

由紀は消え入るような声だった。

「でも私、決してお邪魔はいたしません、なるべくお眼につかない処に居りますから」

「……由紀さん！」

与之助はふとつき上げるような声で呼びかけたが、すぐにその火のような調子を嚙《か》み殺して、

「ちょっと庭を歩きましょう」

そう云って彼は庭下駄《げた》をはいた。

前庭を左へ百歩ほどゆくと、少し爪先《つまさき》さがりになっていて、そこから雑草の茂って

いる先は断崖だった。……三本、古い松が枝をさし伸ばしている。与之助はその木蔭《こかげ》に入って佇《たたず》んだ。

……断崖の高さは七十尺もあろう、下を覗《のぞ》けば真名川の深淵《しんえん》が青黒く瀞《とろ》をなしている。

「由紀さん、貴女はどうして兄上が、……貴女をここへよこしたのか、その訳を知っていますか」

娘は与之助から少し離れて立ち、深くうなだれたまま、答えようとはしなかった。

「兄上は、由紀さんと拙者を一緒にしようと思っているんだ」

「与之助さま」

「いや云わせてくれ、いつかははっきりさせなくてはならぬことだ、由紀さん、兄上はそう思っているんだ。兄上は疾うから、拙者が由紀さんを想《おも》っているものと考えていた、それでずいぶん色々と心を遣って呉れるんだ。……嬉《うれ》しい、その気持ちはどんなに感謝しても足りない位嬉しい、けれど兄上は思い違いをしている」

与之助はなにかをのみこむように、ぐっと喉《のど》をならした。……それから、ひどく舌重げに続けた。

「兄上は思い違いをしているんだ、拙者は……貴女を、……想ってなどはいない。

……想ったことさえも、ないんです。それよりも寧ろ貴女が誰をその心に秘めているか、……拙者にははっきりと分っている」

由紀はいつか両手で面を蔽《おお》っていた。……時鳥《ほととぎす》が一羽、渓谷に鋭い鳴き声を反響させつつ、対岸の山の森をかすめとんだ。

「由紀さん、父上は貴女と兄上を夫婦にすると定めている。いいか、それが本当なんだ、貴女のために、……みんなのために、それが一番仕合せな落着だ、分っているね、貴女はただ、兄だけを確《しっか》りと守っていればいい、兄上だけを、――分りますか」

「……与之助さま」

＊　　　＊　　　＊

由紀はくくと、円い肩を震わせながら、むせびあげた。

そのとき、急ぎ足に近づいて来る人の足音が聞えた。与之助が振返ってみると、藤吉が木下丈右衛門を案内してきたのであった。……与之助はすばやく、

「由紀さん、家へ入っていなさい」

と囁《ささや》いて、此方から歩み寄っていった。

「閑静なお住居《すまい》ですな」

丈右衛門は、藤吉と由紀が家の方へ去るのを見送りながら、白々しい声を張り上げ

て云った。

「こういう場所にのんびりと暮していられる貴殿はお仕合せだ、実にいい、命が延びるようですなあ、ははははは」

「なんの用だ、もう会わぬ約束ではないか」

「そのつもりだったがねえ」

丈右衛門は二人だけになったのを認めると急にいつもの不敵な冷笑をうかべて、

「実際そのつもりだったがね」

「もう御免だ、貴公には百金以上も遣《や》ってある、なんと云おうがもう一文も出さぬからそう思ってくれ」

「で、ござるかな」

丈右衛門はぐっと落着いた声で云った。

「いや御尤《ごもつと》も、そのお怒りは重々恐れ入る、だが今日まいったのは、貴公から金を無心しようというためではない」

「……無心ではない、そんならなんのために」

「実はな、拙者もだんだんと身がつまって来た、このまま呆《ぼん》やりしていると、支配役に摑《つかま》って仕置になるか、悪くすると獄門を喰うかも知れぬという有様だ、……そこで愈々《いよいよ》どこかへ退国する覚悟だが、なにより先立つものは金だ、それも今までのように、十両や二十両の端金《はしたがね》ではどうにも成らぬ、少くとも百か二百、まとまらぬことにはしようがない」

「それで、それでどうしようと云うのだ」

「詰りそれでだ」

丈右衛門はにっと笑った。

「貴公に頼んだところで、断わられるのは分りきったことだし、万一まあ肯《き》いて呉れたところで、高々十両か二十両、それよりいっそ貴公の御尊父に会って」

「木下、なにを申す、なにを！」

「冗談じゃないぞ、己は本気で云ってるんだ、御尊父なら、まさか百や二百の金で、勘定奉行の名誉と家名を捨てはなさるまい、もし否《いな》とでも云われたら仕方がない、己もどうせ身の詰りだから訴えて出る」

丈右衛門の顔は、今まで見たことのない残忍な、悪の表情にひきつっていた。

「ここへ来たのは、それを一応お断りするためだ、分ったかい。……こう断ったからには、もう用はない。帰るからな」

そう云うと共に、彼は平然と踵《きびす》を返して去っていった。

──脅《おど》しだ、脅しに定っている。

与之助はそう呟いたが、然し去って行く丈右衛門の肩つきには、太々《ふてぶて》しい決意が表われていた。……やりかねない、そして若《も》し本当に父に会ったとしたら、父があの事を知ったとしたら。

「おい待て。木下、待て」

与之助はつきとばされたように走り出した。

丈右衛門は木戸脇《わき》の松林のところで、振り返って待っていた。

走《は》せつけた与之助は、息を喘《あえ》がせながら云った。

「父に会う必要はない、その金は拙者が拵《こしら》えよう」

「貴公に都合の出来る高じゃないぞ」

「明晩きてくれ、母が死ぬ時拙者に遺《のこ》してくれた金が二百両ある、それを持って来ておく、貴公が……本当にその金で退国するなら、拙者が二百両出す」

「間違いあるまいな！」

ぎろっと睨みあげる眼を、与之助は燃えるような眸《ひとみ》で見返しながら答えた。

「間違いない、明晩七時だ」

「よし、明日の晩七時、……その時金がなかったら、本邸へ出掛けるからそのつもりでいろ」

きめつけるように云って、丈右衛門は大股《おおまた》に立去った。

それを見送ってから、与之助はすぐ離れへとんで帰ったが、それっきり、部屋に籠《こも》ったまま出て来なかった。

昼も夕も、食事を運ばせ、杉戸の口で受取って、部屋の中で独りすませた。

……由紀は客間に寝ていたが、夜中ずっと離れの部屋でこつこつと、なにか仕事をしているらしい物音が、続いているのを聞いた。

三

下城して来た信蔵は、出迎えの中に由紀が居るのを見て驚いた。

「どうしたのだ、帰って来たのか」

「はい……」

由紀は信蔵から大剣を受取って、一緒に居間の方へ行きながら、

「お届け物を申付かりましたので、爺《じい》と一緒にちょっと戻ってまいりました」

「届け物だと！」

「はい、お手紙も附いてございます」

なんだろう、信蔵は着換えをする間、色々と考えたが、分らなかった。……支度を直して部屋へ入ると、由紀は床の間から、大きな包を重そうに運び下ろして来た。

「是でございます」

「いや拙者があけよう」

信蔵は身を乗り出してその包を解いた。

出て来たのは袱紗《ふくさ》に包んだ筒型の物と、四角い桐《きり》の箱である。……先《ま》ず桐の箱の蓋《ふた》をとってみると、中には黒檀《こくたん》の台に作りつけた妙な機械が入っていた。長さ一尺足らずで、二つの筒を嵌込《はめこ》み、上から覗くようになっている。

「――はて、なんだろう」

「お手紙を御覧あそばしては？」

「そうだ、手紙があったんだね」

信蔵は由紀から手紙を受取ると、封を切って披《ひら》いた。……それには次のようなことが書いてあった。

兄上は顕微鏡というものを御存じですか。……天正年間、スペインの宣教師が織田信長に二つの贈物をしています。一つは望遠鏡で「七十五里を一望す」と記してあり、別の一つは顕微鏡と云って「芥子粒《けしつぶ》も卵の如《ごと》く見える」と記してあります。……望遠鏡の方は今日まで伝来し、お家の御家宝にも二個ありますが、「顕微鏡」の方は現存している話は知りません、わたくしは兄上に買っていただいた蘭書で顕微鏡のことを読み、この二年ほどはどうかして自分の手で作ってみたいと苦心しました。――そして要るほどの材料は集めたのですが、最も大切な「鏡玉」の点で行き詰ったのです。そのために一年ほどやせる苦しみをしました、結局、御宝庫にある望遠鏡を拝借し、その鏡玉で像を結ぶ距離（焦点距離）を実地に験《ため》してみる他に方法がないと定めました。

そこで私は御宝物の望遠鏡をお貸し下げ下さるよう、願い出ましたが、御存知のように許されませんでした。……然し兄上、御宝物が如何《いか》に尊くとも、お庫《くら》の塵《ちり》に埋めておくだけでは意味をなしません。若し是を参考にして、新しく顕微鏡という物が出来るとしたらどうでしょう。……わたくしは決心しました。そして、

「由紀、灯《ひ》を入れて呉れ」

信蔵は文字の重大さに驚いてぱっと手紙を伏せながら云った。……そして、由紀が行燈《あんどん》に火を入れて来ると、

「此処《ここ》はいいから暫く向うへ行っていてくれ」

そう云って由紀を遠ざけた。手紙の文句は更に驚くべき文字で埋まっていた。

即《すなわ》ち、決心した与之助は宿直番に当った夜御宝庫に忍び入り、望遠鏡の一つを盗み出して来たという。そしてそれを解体して鏡玉を取出し、その焦点距離を計りつつ、遂《つい》に顕微鏡を作ることが出来た、詰り……いま届けた箱の中の物がそれだ、と書いてあった。

「そうか、そんな仕事をしていたのか」信蔵は人間の熱意の底知れぬ力に、寧ろ圧倒されながら、弟の作った顕微鏡を見やった。——手紙は更に続けている。

——然し兄上、御宝物を取り出すとき、わたくしは不覚にも木下丈右衛門にみつかってしまいました。どうして兄上から金をおねだり申したかは、是でおわかりと存じます。然しわたくしは到頭望みを果しました。ここに顕微鏡の使い方を書いておきますから、どうか兄上の手で殿へ献上して下さい。……望遠鏡も一緒に包みましたから、御宝庫へお返し下さるよう御願い申上げます。

読み終った信蔵はすぐに袱紗包を解いてみた、果して中から御宝物の望遠鏡が出て来た。

——思い切ったことを！

信蔵は幾つもの意味で歎息《たんそく》をもらしながら呟《つぶや》いた。……御宝庫へ忍び込んで、宝物を持ち出すなどということは軽からぬ罪である。その罪を承知で彼はやった、顕微鏡というものを作るために、宝庫の中で埃《ほこり》に埋れている物を役立てた。そして彼は立派に顕微鏡を作り上げたのだ。

――然《な》し犯した罪は消えぬ。

与之助の為しとげたことがどんなに立派であろうとも、それで犯した罪が消えた訳ではない。それは本人がいちばんよく知っている筈《はず》だ。……然も木下丈右衛門という者に、今日まで絶えず脅迫されていたという。……では与之助はいまどんな風に自分を処置しようとしているか。そう考えて来たとき、信蔵は思わず、

「いかん！」と叫びながら立った。

＊　　＊　　＊

「由紀……袴《はかま》を持って来て呉れ」

「はい」由紀が来た。信蔵は袴を着けながら、

「与之助はこの手紙の外になにか云っていなかったか、様子になにか変ったことはなかったか」

「はい、……別に変った様子もないと存じましたけれど」

「藤吉の爺はすぐ帰ったのか」

「まだ此方《こちら》におります。帰りが夜道になっては危いから、明日戻って来いと仰有《おつしや》いましたので……」

「そうか」信蔵は唇を嚙《か》んだ。

届け物のためなら藤吉一人でいい筈だ、二人を出して泊って来いというのは、今宵《こよい》のうちに身の始末をしようという考えに違いない、……信蔵は馬を煽《あお》って下屋敷へと向った。

——与之助、待って呉れ、死んではいかんぞ、己がどんなことをしても罪にならぬように計らってやる、死んではいかんぞ！

下屋敷に着いた信蔵は、馬をつなぐ間ももどかしく、すぐに裏に廻《まわ》って庭へ入った。声をかけては却《かえ》って悪い、そう思いながら、母屋の方へ庭を横切ろうとしたとき、……右手の庭のはずれの断崖《だんがい》の方にぽつんと提灯《ちようちん》の火があるのを見つけた。

「与之助、そこにいるのは与之助か」

叫びながら走って行った。すると庭はずれの松の根方に、提灯が一つ置いてあるきりで、人の姿は何処《どこ》にもない。

「与之助！　与之助！」信蔵は声をはり上げて叫んだ。

そのとき、すぐ右手の叢《くさむら》でなにか動く気配がした。……はっとして行ってみると、まず血の匂《にお》いが鼻をつき誰か倒れているのが見えた、それは与之助であった。

「あっ、おまえ、……与之助」信蔵は悲鳴のように叫びながら抱き起した。……与之助はまだ意識があった。

「己だ、信蔵だぞ、分るか与之助」

「……兄上」

信蔵の叫ぶ声に、与之助は力無く頷《うなず》いてみせながら、舌重げに辛《かろ》うじて云った。

「兄上、……御安心願います、丈右衛門は、わたくしが討止めました」

「なに、木下を斬《き》ったというのか」

「死体は、その断崖から、河へ投入れました、……ですから、折田の家名に瑾《きず》のつかぬよう、後をお願いいたします」

「心得た、然しこうしなくても方法はあったのだ、おまえ、はやまったぞ！」

「否《い》え、これが、これがわたくしにとって、いちばん良い方法なんです。ただ、どうか家名に瑾のつかぬよう、始末して下さい。……父上に御迷惑のかからぬよう……たのみます」

「分った、それは兄が必ず引受けるぞ」

「それから由紀さんのことだ」与之助は苦しそうに息をついて云った。

「兄上は、由紀さんの気持ちを知らない、……由紀さんは、兄上を想《おも》っているんです……」

「馬鹿な、なにを云うんだ、与之助」

「本当です。……あの人は兄上を想っているんだ、……あの人を仕合せにしてあげて下さい、わたしはあの人を想っていなかった。……そんなことは考えもしなかった。兄上、これが与之助の最後のお願いです。あの人を仕合せにして上げて下さい」

それだけ云うのが精いっぱいの努力だった。云い終ると共に、与之助の軀《からだ》は、兄の手からすべり落ちて、草の上に倒れた、提灯の光が哀《かな》しく死顔を照らしている、そしてその死顔のすぐ傍《そば》に苧環《おだまき》の花が一輪、叢の中から弔うように覗《のぞ》いていた。……信蔵はその花が眼についたとき、我慢の緒もきれて、両手で面を蔽《おお》いながら咽《むせ》びあげた。

「そうか、……おまえはそんな苦しみも持っていたのか、知らなかった、己は知らなかった」

肺腑《はいふ》を絞るような声が、夜の闇《やみ》をかなしく震わせた。……苧環の花の紫は、与之助の魂をかき抱くように叢の中で音もなく揺れていた。

（「譚海」昭和十六年五月号）

# 万太郎船

一

「これがお約束の百両です」

「……ありがとう」

「あらためてみてください。たしかに百両、ございますね」

二十五両の包みを四つ、万太郎《まんたろう》が正直にひとつひとつかぞえるのを待って、仁兵衛《にへえ》は煙管《きせる》のすいがらをハタきながら、

「その百両をおわたし申すについて、あらためて申しあげますが、これが長崎屋のご身代の最後の金です。もう一分《いちぶ》の金の出どころもございません、どうかそれをご承知のうえお持ちくださいまし」

「……これでおしまい、この百両で、もうあとはなんにもないのかい」

「ございません、根っきり葉っきりおつかいになりました」

「へえ……そいつは知らなかったねえ」

「これまでになんどもご意見を申しあげました、けれどもあなたはどうしてもお道楽がやまない、無いが意見の総じまいだと申しますが、これであなたもすこしはお考え

が変わるでしょう。この百両をつかいはたしてああまちがっていたとお気のつくことがあったらここへおいでください、そのときはあらためてご相談にのります。そこにお気がつかず、いつまでも狂人沙汰《きちがいざた》のお道楽に凝っていらっしゃるあいだは、失礼ながらどうかこの家《うち》へおいでくださるな、これはいまはっきりと申しあげておきます」

「待ってくれ、そう矢つぎばやに突っこまれてはわけがわからないよ、いったいそれはどういう理屈なんだい」

「若旦那《わかだんな》……」仁兵衛はひょいと眼《め》をあげた、「あなたは大旦那のおなくなりなさった年《とし》をおぼえていらっしゃるか」

「知っているさ、安永二年の五月だった」

「それからなん年経《た》ちます」

「今年が六年だから、三、四、五と、まる四年になるだろう。それがどうした」

ふっくらとした色の白い顔も、静かな澄んだ双の眼も、よく云《い》えば汚《よご》れのない、悪く云えばまの抜けた感じである。仁兵衛はその眼をつよく見いりながら、

「長崎屋といえばお膝《ひざ》もとの舟大工《ふなだいく》のなかでも三番とさがらぬ店でした。職人の八九十人は絶やしたこともなく、お上の御用まで勤めた立派な頭梁《とうりよう》でございました。それを……大旦那がなくなってから四年のあいだに、あなたは釜《かま》の下までさらうようにつ

かいはたしておしまいになった、子飼いの職人もひとり残らずちりぢりばらばら、相《あい》川町《かわちょう》から玉井町へかけての地面も、百四五十軒あった家作も、舟大工にはなくてはならない河岸《かし》割りの株も、あなたの狂人じみたお道楽のためにすっからかんになってしまいました」

「そいつは云いすぎだ、きちがいじみた道楽というのは云いすぎだ、あたしは舟大工の倅《せがれ》として自分のすべきことを……」

「ようございます、云いすぎなら云いすぎとしておきましょう」仁兵衛はにべもなくさえぎった、「それについていまさらとやかく云うつもりはありません。わたしは十二の年に長崎屋へご奉公にあがり、三十の年にこうしてここへ家《いえ》を持たせていただきました、みんな大旦那のおかげで、そのご恩のほどは海山にもたとえることはできませんが、このままではあなたのお眼のさめるときがない、大旦那には申しわけありませんがわたしはもうあなたのご面倒をみることはお断わりです。……どうか心をいれかえて、これからまじめにやり直す、まちがっていたとお気のつくまでは、家へおいでになるのをやめてくださいまし」

「……そうか」黙って聞いていた万太郎は、やがて大きくうなずきながら云った。「そうか、よくわかった。あたしのしていることがまちがっているかどうかは、いずれ時がくればわかるだろう。……どうもながいこと迷惑をかけてすまなかった。じゃあこの金はもらっていくから」

「お待ちください、もうひとつお話がございます」

仁兵衛は下から万太郎を見あげながら、「あなたとご縁談のできていた佐野庄《さのしょう》のお雪さん、あれも破談になりましたからご承知置きをねがいます」

「ほう、……あれが破談になったのかい」

「長崎屋のお店があのとおり、あなたも末の見込みがないというので佐野庄から破談のおはなしがございました。いなやを申す余地がございませんから一存でお受けをしておいたのです、ご異存がございますか」

二

（ご異存がございますか）

万太郎はひょいと呟《つぶ》やいてみた。

「……なるほど、そう云われてみれば異存の云える身上ではなさそうだ、仁兵衛がそう云うのも無理じゃあないよ」

深川冬木河岸《ふかがわふゆきがし》の仁兵衛の家をでると、そとは夕焼けの赤い黄昏《たそがれ》の街だった。万太郎は河岸に沿って歩きながら、四年間のこしかたをぼんやり思いかえしてみた。

彼は深川松川町の長崎屋万助という、江戸でも指折りの舟大工の家に生まれた。小さいときから細工物が好きで、仕事場へはいっては鑿《のみ》を手に、木片《きぎれ》でいろいろな物を作るのがなによりのたのしみだった。そしていつかしら作るものが舟だけにきまったのをみて、父親の万助はひじょうによろこび、

――こいつはいい二代目だ、いまにきっと長崎屋の名をあげるぞ。

そう云って自慢のたねにしていた。

事実そのとおりだった。長崎屋という大頭梁の子でありながら、十三四のころから彼は、職人たちと同様に仕事場で木屑《きくず》だらけになって働きだした。そればかりではない、職人たちが定《きま》りきった仕事を定りきった順序でやっているのに反し、彼はたえずなにか新しい工夫を考えだした。平底舟の舳先《へさき》をまるくして安全率の高いものにしたり、早舟の水切り、舷側《げんそく》のはねをひろげて速度を大きくしたり、舵《かじ》の切りかたを変えて転舵《てんだ》の効果をつよめたり、実地の役にたつ工夫改良をつぎつぎと考案した。

ところが安永二年の五月、父親の万助が死ぬと間もなく、彼はだんだん仕事場から遠のきだして、一日じゅうぼんやりとなすこともなく日を暮らすようになった。

――いったい若旦那はどうしたんだい。

――まったく人が変わったようだぜ、昨日も河岸っぷちでいちんち石地蔵をきめこんでたようだ。

まわりの者はそんなことを云っていたが、万太郎はそのとき、新しい舟の考案で夢中になっていたのである。

新しい舟といってもこれまでのような形の工夫ではない、人間の力や風の力によらないで舟を動かそうというのだった。つまり櫓《ろ》や櫂《かい》や帆のほかに、もっと速く、しかも波や風を乗り切って舟を動かす方法を考えていたのだ。……あるとき彼は、幕府の砲術家が石川島で大砲《おおづつ》の射撃演習をするのを見た。大砲を射《う》つと、弾丸《たま》がとびだして、同時に砲身がはげしく後方へ反動をおこす。こいつをくり返し見ていた万太郎は、火薬の力の大きさにおどろくとともに、

――もしもあの力で舟を動かすことができたら……？

ということをひょいと思いついた。

万太郎は家へとんで帰ると、すぐに冬木河岸の仁兵衛を呼んで仔細《しさい》をはなし、金の調達をたのんだ。仁兵衛は長崎屋の子飼いの職人で腕を見込まれて、三十の年にじぶん一軒の仕事場を持たせてもらい、当時はもうひとかどの頭梁株になっていたし、万太郎の後見をたのまれて、万助なきあとの財産管理のような役をひき受けていた。

仁兵衛は話を聞いてはじめつよく反対したが、万太郎はそれを押し切った。——舟大工で貯《た》めた金を舟の工夫につかうのは当然だ、たとえ家を裸にしても、成功すればお父つぁんはほめてくださるにちがいない。

道理はとおっているから、そう押して云われるとそれでもいけないとは云えなかった。仁兵衛の負けで、万太郎はいよいよ新しい工夫にのりだしたのである。……なにしろ大砲の原理を舟へ利用しようとするのだから、仕事のむずかしさもさることながら金をつかうことも大きなもので、二年たらずのあいだに三千両というものが消えてしまった。

むろん仁兵衛はそのあいだにずいぶん意見をしたが、万太郎はまるで耳にもかけない、それで一策を思いついた仁兵衛は、中洲《なかす》に店のある廻船《かいせん》問屋、佐野屋庄左衛門の娘でお雪という、十六になる評判の小町娘を、万太郎の嫁にもらいたいと話をすすめた。……佐野庄も指折りの資産家で、商売柄《がら》、まえから長崎屋とは関係《かかわり》があるし、先方でも万太郎のことは知っていたので縁談はめでたくまとまった。

——これでよし、女房がきまればつまらない道楽もやむだろう。

仁兵衛はそう思ってひと安心した気でいた。ところが万太郎はすこしも変わらなかった。

――婚礼はこの工夫が成功してからだ。

そう云ってあいかわらず夢中で工夫にうちこんでいた。……こうしてまる四年、ついに仁兵衛からきょう縁を切ると云われるところまできてしまったのである。

「まったく仁兵衛や佐野庄が見切りをつけるのも無理じゃないかもしれない、われながら今度の工夫はいまだに目鼻がつかないんだから」

そう呟やきながらあるいてゆく。

万年町の舟入り堀のほうへ、河岸っぷちを曲がったとたんに、夕焼けの赤い空をきって、ぶうんとなにか飛んで来たかと思うと、万太郎の横顔へいきなりそいつがぱしッとぶっつかった。

三

「あ、いてえ!」

びっくりして立ちどまる、万太郎の足もとへはらりとなにか落ちた。

見るとそれは「竹とんぼ」だった。

「なんだ、竹とんぼか」と拍子ぬけのした気持で拾いあげるところへ、むこうから八つくらいになる子供が走って来た。

「ごめんよ小父《おじ》さん、痛くしたかい」

「痛くはしないがびっくりした、これはおまえのかい」

「おいらんだ」子供はくりくりとした眼をあげて、「おいらがじぶんでこさえたんだ、仲間でいちばん飛ぶんだぜ。どのくらい飛ぶか、小父さん見たくはねえかい」

「そうさな、見たくはないが、おまえ見せたいんなら飛ばしてみな」

「へ!! 恩に着せるようなことを云うぜ」

子供はぺろっと掌《てのひら》をなめると、竹とんぼの軸を両手のあいだにはさみ、くるくると調子をつけながらぐいっと空をにらんだ。

「いいかい、飛ばすぜ」

そらっという声とともに、小気味のいいうなりをたてながら、竹とんぼは子供の手をはなれて勢いよく夕焼けの空へ舞いあがった。

自慢したほどあってそれは実によく飛んだ。ほとんど蚊のように小さく舞いあがり、しずかな南風に吹きながされて、二十間ばかりむこうの道へひらと落ちて来た。……するとそれをじっと見ていた万太郎が、

「……あっ」と低く口のなかで声をあげた。

「どうでえ、ちょいとしたもんだろう小父さん」

子供は万太郎の声を感嘆されたものと思ったようすで、得意になって、竹とんぼを拾いに走って行った。万太郎は子供がもどって来るのを待ちかねて、

「坊や、それを小父さんに売ってくれないか、お金はほしいだけやるぜ、売ってくれ、いいだろう坊や」

そう云いながらふところをさぐる、仁兵衛の手からうけ取って来たばかりの金の包みをやぶいて、小判を一枚とりだすと、

「さ、これだけやる、買ったぜ坊や」

あっけにとられている子供の手へ、金を握らせて竹とんぼを取ると、まるで憑《つ》きものでもしたように走りだしていた。……子供はぽかんと口をあいてそのうしろ姿を見送っていたが、手のなかの小判を見ると、さすがに子供である、きゅうに仰天して、なにかわめきながら裏町のほうへつぶてのようにかけていった。

竹とんぼ一つを一両で買った万太郎は、なにを思いついたのであろう、まっしぐらに松川町の家へ帰って来ると、そのまま舟《ふな》おろし場へ出ていって、竹とんぼを流れのなかへいれながら食事も忘れてなにか考えはじめた。

それから二三日というものはじぶんで、大小幾十となく竹とんぼを作り、こいつを

流れにひたしてはにらみっくらをしていた。

広い家のなかに住む者は万太郎ひとり、食べものを近所の仕出し屋からはこんでくるほかはおとずれる人もなく、江戸じゅうに名を知られた長崎屋の建物もいまはがらんとして化物屋敷どうぜんだった。

月のいい晩だった。

いつものとおり、舟おろし場へ高張提灯《たかはりぢょうちん》を二つ持ちだして、次ぎ次ぎと竹とんぼを流れにひたしてはなにか考えていると、右手の空地へ誰か人のはいってくる跫音《あしおと》がした。

（――いまじぶん誰だろう）そう思ってひょいとふりかえって見ると、空地を下りて来た人影が、そのまますると水際《みずぎわ》へやってくる。

（――芥《ごみ》でも捨てに来たのか）と見るうちに、それがすいと河のなかへ足をいれ、ずんずん前へ出てゆく、水は膝《ひざ》をひたし腰を越えた。万太郎にはまだなにをしているのかわからない、間もなくその人影は深みへ出たとみえて、ずぶりと水のなかへ沈んだ。

（――あっ、身投げだ）

そう気がついたのは、いちど沈んだ頭がひょいと波の上へうかびあがったときである、万太郎は反射的に河のなかへとびこんだ。

# 四

「冗談じゃない、本当に死ぬ気だったのかい」

「ええ、……死ぬつもりでした」

　助けあげたのは娘だった、たいして水を飲んだわけではないが、話のできるようになるまでには、半刻《はんとき》あまりもかかった。……さて行燈《あんどん》を中にして向き合ってみると、眼鼻だちのととのったすばらしい縹緻《きりょう》である、二十六という年まで女というものに興味を持ったことのない万太郎が、（――これは美しい）と思ったくらいだから、くだくだしく説明する要はないだろう。万太郎はそう思うのといっしょに、これは色恋のはての身投げだなと推察した。

「いったいどうして死ぬ気になんぞなったんだ」

　万太郎は、あり合わせの男物の浴衣《ゆかた》を着て、じっとうつむいている娘の、絖《ぬめ》のような衿《えり》あしを見ながら云った。

「こうしてあたしが助けたというのもなにかの縁だろう、死ぬ気になったわけを話してごらんよ、どうせついでだ、あたしで足りることなら力になってあげようじゃないか」

「ありがとう存じます、……でも、……」

「ざっくばらんに聞くけれど、金かい、それとも色恋かい」

「まあ……」

娘はふっと、つぶらなひとみをあげて万太郎を見た。そしてしずかに頭《こうべ》をふりながら、

「ちがいます、そんな、そんなことではありません」

「金でなし色恋でなしとすると」

「あたし、……行くところがないんです」

「というと」

まじりけのない万太郎の気持がわかったのであろう、娘はぽつりぽつりと、拾うような口調で身上ばなしをはじめた。娘の名はおすえと云った。葛飾《かつしか》在の百姓の娘で、十二の年に深川佐賀町のさる大商人《おおあきんど》の店へ奉公にあがり、小間づかいとして六年のあいだ働いていた。ところが年ごろになるとともにそういう身分で美貌《びぼう》の者にありがちな災いがおこってきた。その家の伜《せがれ》で平吉というのら息子がおすえに眼をつけ、土蔵前《くらまえ》で袖《そで》をひいたり、文《ふみ》をつけたり、しまいには力ずくでかかりそうにさえなった。

「六年も働いたご恩のあるお店ですけれど」娘はそのときのことを思いだしたように、美しい眉《まゆ》をひそめながら云った。

「それ以上いては若旦那のためにもならず、あたしのからだも心配ですから、思いきってそっとぬけだしましたの」

「むろんだとも、いることがあるものか」

「そして葛飾の家へ帰りましたら、家はすっかり荒れはてて誰もいません。近所できいてみましたら、おととしの冬、御年貢が納められないために一家そろって行方知れずになったというんです」

「おまえさんに知らせはなかったのかい」

「ありませんでした」娘はそっと眼がしらへ袖をあてた。

「きっとあたしに心配をかけてはいけないと思ったんですわ、父は気の弱いひとですから」

「それで親類かなにか……」

「親類も縁者もいませんの、家はもともと奥州のほうから移って来たのだと聞いていました。しかたなしにまた江戸へもどって来たのですけれど、あのお店のことを考えると二度とよそへ奉公にあがる気にもなれず、といってどこにも頼るあてはなし。

……もうもう生きているのがいやになって……」

「そうだったのかい」万太郎はふかく感動させられた。

（――人生はいろいろだ）これだけの美貌にめぐまれて、ふつうならどんな面白い世間でも見られそうなものなのに、この娘の場合にはそれがかえって身の仇《あだ》になっている、人の運命《めぐりあわせ》ほどわからぬものはないと、万太郎ははじめて世の中のきびしさの一面にふれたように思った。

「いったい、その佐賀町の店というのはどこだい」

「それは申しあげられませんわ、若旦那の恥を話してしまったのですもの、あたしには辛《つら》いお店でしたけれど、でもやはりお世話になったご主人のお店ですから、店の名を云うことだけはかにしてくださいまし」

「いいことを云うね」けじめの正しい娘の言葉に万太郎はもういちどふかく心を動かされた。

「こいつはきくあたしのほうが悪かった。ではあらためて相談だが、あたしが大丈夫という家を世話したら奉公にでる気があるかい」

「……でも――」

「家もなく身寄たよりがないとすると、どこか堅い店へ奉公にでるほかはないだろう、あたしがひとり者でなければここにいてもらってもいいんだが」

「置いてくださいまし」娘はすがりつくように云った。「ここへ置いてくださいまし、煮《に》炊《た》きでもお洗濯《せんたく》でもなんでもいたします。おねがいですからここへ置いてくださいまし」

五

葛飾郡《ごおり》砂村新田《すなむらしんでん》の地はずれ、中川の海へそそぐ川口寄りに、もと漁師の舟小屋につかっていた古い大きな建物がある。その建物を買いとってすこしばかり手入れをしたうえ、ささやかな家財を持ちこんで若い男女のひと組がすむようになってから三月《みつき》ほどたった。

若い男女とはいうまでもなく万太郎とおすえであった。

娘の哀れな身上を聞いた万太郎は、どうせじぶんも当分は世間と縁のないからだなので、すこしでも生活費をきりつめるため、ひとつには邪魔のはいらない場所でゆっくり仕事がしたいと思ったので、あれからすぐにこの家を捜し、松川町をひきはらって移って来たのであった。

まわりはいちめんの蘆原《あしはら》、ところどころに小松の林があって、白鷺《しらさぎ》が翼をやすめている景色など見ると、江戸からひとまたぎの場所とは思えないほど閑寂なものを感じた。……万太郎はいちんちいっぱい仕事場にこもりきりであった。まずしい食事の膳《ぜん》へ差し向いになってもほとんどうちとけて話をするようなことはない。おすえにはそれが物足らぬようすで、炊事、縫い張りの暇々には、どこか遠くを見るような眼をしては溜息《ためいき》をつくことが多かった。

五月の末に移ってきて、六、七、八月と、自然はようやく秋にいりかけた。

「おまえさん、淋《さび》しそうだね」ある夜《よ》、夕食の膳にむかったとき、万太郎がふと眼をあげて云った。

「こんな蘆原のなかの一つ家《や》だから淋しいことはあたりまえだが、そろそろ江戸が恋しくなったんじゃあないのかい、気が変わって奉公するつもりがでたら江戸へ送ってあげるよ、そんなことに遠慮はないんだぜ」

「江戸へかえりたいなんて、そんな気持はすこしもありませんわ」

「だってときどき溜息なんぞついてるところをみると、あたしはおまえさんが可哀《かわい》そうで胸が痛くなる。……あたしの仕事はいつになれば終わるというものじゃないんだ、あたしに付き合うつもりなら考えなくちゃいけないぜ」

「ひとつだけ、伺いたいことがありますの」万太郎の言葉にはかまわず、おすえは思いきったようにきいた。

「お仕事のことだけは口出しをしないつもりでしたけれど、あなたの苦心していらっしゃるごようすを見るたびに、あたし胸が苦しくなってどうしようもなくなるんです」

「いやだね、はははは」めずらしくも万太郎が笑った。おすえの溜息を聞いて彼が胸に痛みをおぼえると云った、その口のしたから、こんどはおすえが彼の苦心のさまを見て胸苦しくなるという。(——それじゃ五分五分じゃないか) と云おうとして、万太郎はあわてて笑うのをやめた。きゅうにおすえが泣きだしたのである。

「どうしたんだ、おすえさん」

「あたし、……あなたがお気の毒で……」

「気の毒だって、あたしが気の毒だっていうのかい」

「そうですわ」娘はそっと涙をおさえながら、「あたし、助けていただいて、松川町のお家《うち》にいるあいだ、ご近所の噂《うわさ》であなたのことをすっかり伺ったんです」

「どんな噂を聞いたんだい」

「冬木河岸の仁兵衛という人のことですわ」

「……仁兵衛のこと」万太郎は妙なことを云うと思いながら、「仁兵衛がどうしたっていうんだい」

「冬木河岸は腹黒い人で、あなたが舟の工夫に凝って世間のことを知らないのをさいわい、長崎屋のご身代をすっかり自分のふところへ入れてしまったというんです」

「ばかな、ばかなことを云うものじゃない」

「いいえ、ばかなことじゃございません」

おすえはつよく頭をふって云った、「冬木河岸さんが本当にあなたのためを思う人なら、あなたをこんなお身上にしないうちになんとかしているはずです。口で意見を云うくらいは他人同士でもすること、心《しん》そこお店のためあなたのためを思うなら、口さきだけの意見でなく、もっと本当に役だつ手段《てだて》があったはずです。……それなのに、仁兵衛という人は忠義らしいふりをして、実際はあなたのおっしゃるままに金をつかわせ、ぎりぎり結着まで追いこんでしまったんです。地面を売った、家作を売った、株を売った、売ったことはたしかでしょうけれど、売ったお金の半分は冬木河岸のお人がごまかしたのだと云いますわ」

おすえはそう云って、近所の噂の出どころのたしかさを数え、うろんだと思うなら地面家作の買い主にあたってみるがよいとまで云った。

# 六

（──そうかもしれない）

これが長崎屋の身代のさいごの金だといって百両わたされたとき、いや、それよりまえにもときどき仁兵衛のやりかたに疑念をもったことがあった。しかし……疑念をもったとしても、そのときふっと心をかすめたくらいのもので、彼にとっては新造の舟のほうが重大だった。仁兵衛のことなどはほとんど考える暇もなかったのである。

「おすえさん」万太郎は坐り直して云った。「おまえがそういう噂を聞いて、あたしのためにくやしがってくれるのはありがたい、けれどもそいつはやめておくれ」

「………」

「もし仁兵衛が本当にそんなことをしたとしても、それであたしが気の毒だという考えはまちがっている。万太郎は気の毒どころかしあわせな人間だぜ」

「そうおっしゃられるとよけい悲しくなりますわ」

「いや負け惜しみじゃあない、証拠を見せてあげるからおいで、いいから一緒においでよ」

出たばかりの月が、蘆原いっぱいに淡い光を投げていた。わくような虫の音《ね》のなかを、川口のほうへ三四十間ゆくと、五六本小松の生えている汀《みぎわ》に小さな小屋がある。万太郎はおすえに提灯《ちょうちん》をわたして小屋の戸をあけ中から畳一帖《じょう》ほどの小さな平底舟をひき出して来た。

「さあ、提灯を持ってこれを見てくれ」

おすえはそばへ寄った。

「この船の下にあるのをなんだと思う」

「……竹とんぼの大きいのみたいですわね」

「そうだ、竹とんぼなんだ」

万太郎はしずかに云った、「あたしは舟をこぐのに、櫓《ろ》や櫂《かい》や帆ではなく、もっと速くそして波や風を乗り切って動かすことのできる方法を工夫していた。そしてあるとき大砲《おおづつ》の射撃を見ているうちに、火薬の炸裂《さくれつ》する力の強さを舟に用いてみたらと思いつき、ながいこと苦心してみた。……ところがこの夏のはじめ、ふと子供が竹とんぼを飛ばしているのを見たんだ」

竹とんぼが舞いあがるのは、反対にそりをもった左右のはねが空気を截《き》るからである。もしそれで水を截ったらどうなるだろう。……少年のころにはじぶんでもずいぶん玩具《おもちゃ》にしたものだが、そのとき子供の飛ばしている竹とんぼを見て、ふとその原理に思いついた彼は、すぐにそれを買ってかえり、隅田《すみだ》川の流れにひたして実験してみた。そして、竹とんぼのはねが広ければ広いほど、またその左右反対のそり方が大きければ大きいほど強く廻転することがわかった。

「流れる水で廻るのを、逆に竹とんぼを廻せば、つまり水を截って前へ進むことができるわけだ。もし舟のうしろへ取り付けて廻転すれば舟が動くにちがいない、……あたしは火薬の炸裂する力で動かそうとする工夫をひとまずやめて、すぐにこっちの工夫にかかった」

「でも、どうしてこの大きな竹とんぼをまわしますの」

「それだ、いろいろやってみたが、じかに手で軸をまわすだけでは力が足りない、そこで、轆轤《ろくろ》を思いだした、物をつりあげるにも轆轤でやるとわずかな力で重い物があがる、その理屈をつかって、五つの歯車をかみあわせる工夫をした。見てごらん……それがこの舟だ」

提灯の光でおすえが見ると、その舟の艫《とも》には手廻しで五つの歯車の廻る仕掛けができていた。

「さあ、動かしてみるぜ」万太郎はくるっと裾《すそ》を端折《はしお》ると、小舟を水の上へ押しだして乗り、把手《とって》を握って、からからと歯車を廻しはじめた。舟は動きだした。月光のくだける川波のうえを、はじめは徐々に、しだいに速く、流れを横切ってかなりな速度ではしりだした。

「……まあ！」おすえは思わず嘆賞の声をあげながら、眼もはなさず舟のゆくえを見まもっていた。

万太郎はすぐに舟をもどしてきた。

「見たかいおすえさん」彼は舟からとびあがって云った。そして、感動のあまり声をあげることも忘れた娘の顔を、力のある眼でじっと見おろしながら、

「これはほんのためし造りだ、この歯車ではすこし大きな舟は動かせない、もっともっと強い力でこの軸をまわす工夫が必要だ、本当の仕事はこれからだ。けれども、……とにかくあたしの工夫はここまで成功している。もし仁兵衛があたしをだまし、長崎屋の身代を横領したとしても、その金はつかえばなくなってしまうものだ。……おすえさん、あたしは舟大工だ、あたしにとっていちばん大事なのは金じゃない、仕事だ、この新しい舟を立派に造りあげることのほうが、十万二十万の金よりあたしには大切なんだぜ」

七

「わかりました、よくわかりましたわ」

「本当にわかったかい、気の毒なのはあたしじゃない、仁兵衛のほうだということがわかったかい」

「わかりました、そして……」云いかけて、ふとおすえはなにか口ごもりながら、黙って男の眼を見あげた。

それから四五日したある夜のことだった。夕食のあとで、歯車舟《はぐるまぶね》の小屋へでかけた万太郎が、提灯の光でこつこつ仕事をしていると、ふと遠くからするどい女の叫び声が聞こえてきた。……立ちあがって耳を澄ますとまたひと声、しかもそれはじぶんの家の方角である。

（——おすえじゃないか）そう思うよりはやく提灯を手に彼は脱兎《だつと》のごとくかけだしていた。

三四十間をひと走りに、

「どうかしたか」とわめきながら、ぬれ縁へとびあがって障子をあけると。……部屋の中では三人の若者が、いましもおすえを手ごめにしようとしているところだった。

「こいつら、なにをする」叫びざま、一人を蹴《け》倒し、一人の脾腹《ひばら》を突きあげ、すばやくおすえをたすけ起こして背にかこった。……不意をくらった三人は、どぎもをぬかれてとびさがったが、万太郎はそのなかの一人をみつけて、

「ああ、おまえは平吉！」とびっくりして声をあげた。冬木河岸の仁兵衛の伜《せがれ》で平吉、万太郎より三つ年下で、手のつけられぬのら息子だった。

「おまえ、ここへなにしに来た」

「しらばっくれるない」平吉はふてぶてしく肩をゆりあげて、

「おらあ女房を迎えに来たんだ、じぶんの女房を迎えに来たんだよ」

「女房……どれがおまえの女房だ」

「そこにいるお雪さんよ、廻船問屋佐野庄の小町娘、お雪さんはおいらの許嫁《いいなずけ》だ、許嫁は女房も同然だ、さんざん捜しあるいてやっとみつけたから迎えに来たんだ。おい万さん、こう聞いてもおめえ文句があるか」

万太郎は愕然《がくぜん》とたちすくんだ。

（——この娘が佐野庄のお雪）あんまりいきなりな話で、彼にはどう解釈することもできず、救いをもとめるようにおすえのほうへふりかえった。……すると、その眼へ全身を投げかけるように、

「万太郎さん、かにしてください」と娘が必死に叫んだ、「あなたと許嫁の約束が破談になり、すぐあとで冬木河岸から縁談があったんです、でもあたしは……あたしの心はもうあなたのものでした。だから、だからあたしは……」

きゅうに万太郎はすべてを理解した。すべてがはっきりしてきた。仁兵衛のからくりが今こそ裸になった、それを彼女が知っていたのは噂を聞いたためではなく、彼女が佐野庄の娘だったからだ。……そして彼女は、娘らしい思いつめた知恵で、身投げのまねまでして彼の腕へとびこんできたのだ。

「わかった、もうなんにも云わなくってもいいぜお雪さん、あとのことはあたしがひきうける」

万太郎はそう云ってふりかえった。「平吉、あらためて云うがお雪さんとあたしとは二年まえからの許嫁だ、いまおまえも聞いたろう、あたしの心はあなたのものでしたと……お雪さんの口からはっきり云っている、これを土産に帰ったらどうだ」

「洒落《しゃれ》たことを云うな、来たからにゃ腕ずくでも連れてけえるんだ、やっちまえ！」

平吉が歯をむきだして叫ぶのといっしょに、二人の若者が猛然ととびかかった。

……しかし、いずれも金で買われた男たちが、全身忿怒《ふんぬ》に燃えあがっている万太郎とは勝負になるはずがない。ほとんどあっという間《ま》に、二人ともばりばりと障子もろともぬれ縁のそとへ叩《たた》き出された。

それを見た平吉は、むろんじぶんでかかる勇気はない。

「畜生、おぼえていろ」きまり文句を云うのが精いっぱいで、毬《まり》のように蘆原のかなたへ逃げていった。

身をおののかせながらすくんでいたおすえ、いやお雪は、万太郎がつづいてあとからとびだしてゆこうとするのを見てびっくりして、袖にとびついた。

「万太郎さんいけません、待って」

「そうじゃない、追っかけるんじゃないんだお雪さん」

万太郎は、一瞬のうちにすっかり表情の変わった顔でふりかえった。

「あいつらはいま鉄砲玉のように逃げていった、鉄砲玉のようにと思ったときひょいと気がついたんだ、あたしはこのまえに火薬の炸裂する力で舟を動かそうとした。いいかい、その炸裂する力で、竹とんぼの軸を廻したら、……こいつだ、もしこいつができれば大きな舟が動かせる、この工夫がつけばもっともっと大きな舟が動かせる」

「まあ……」

「すぐはじめよう、おすえさん、仕事場へあかりを頼むよ」あれだけの騒ぎをけろりと忘れたように、万太郎は仕事場のなかへとびこんでいった。

「……おすえ」お雪はそっと万太郎の口まねをした。かりそめにつけたその名が、今はなんとぴったり二人の生活にしみこんでいることだろう、……お雪はもういちどその名を口のうちでまねながら、いそいそとあかり行燈《あんどん》をつけに立った。

火薬の炸裂する力で竹とんぼの軸を廻す、これは後世の内燃機関の原理とおなじである、万太郎ははたしてどの程度までそれを実現することができたろうか。

海からのぼった月は、いまその新しい光でこの家《や》を祝福するように、かがやきだしていた。

（「譚海」昭和十六年八月号）

# 噴上げる花

# 一

世間には、同名異人で妙なまちがいを起すためしが少なくない、この場合もつづめるとそれだけのことだが、あいだに立った人が上役でひどい性急だったため、まちがいかたも念がいったことになった。

——急用があるからすぐ来い。

そういう使いを貰《もら》って、伊藤右太夫《うだゆう》が物頭《ものがしら》の家へまかり出ると、すぐにあるじの居間へと通された。中畔《なかあぜ》六左衛門は外出でもするところとみえて、ちゃんと麻裃《あさがみしも》を着て、なにかしきりに机のまわりをひっかきまわしていた。

「ただいまお呼びをうけました、ご急用とのことでございますが」

「ああ呼んだ、呼んだよ」

うわのそらで云《い》いながら、積み重ねてある書類や帳簿をあっちへどけたりこっちへ直したりしている。またなにかど忘れをしたなと思いながら、右太夫は、しようがないので黙って待っていた。

「ええと、あれをこうしたときに、是《これ》をこうやってこうしたんだから、ここに是がある以上は、あれが無くてはならんはず、じゃないか」

「なにかおさがし物でございますか」

いつまでも黙っていられないので、右太夫がちょっと口をいれた。

「なんだ、右太夫ではないか」

「はい」

「呼んだら早く来てくれなくては困るではないか」

「はい、じつは先刻からこれに控えておったのですが」

「なに来ていた、そこへ来ていたのか？」

「ご急用だとのことでしたから」

「来たら来たと申さなくてはいかん、こっちは出掛けるので待ちかねていたところだ」

「申しわけございません」

「ええと、伊藤右太夫だな？」

これが実にまじめなのだから、相手になる者は迷惑である。

「はなはだ突然でおどろくかも知れないが、立原玄蕃《げんば》がそのもとをみこんで、ご三女を嫁に娶《めと》ってもらいたいというのだ。玄蕃は因業者だけれども三女は名を菊枝と申してなかなかでき者だそうな。わしに仲人《なこうど》をせいというのでひきうけたのだが、どうだ承知するか、承知ならば来月八日が吉日じゃそうで、その日に盃《さかずき》をしたいと申しておる、聞いておるかも知らんが、玄蕃はお国詰めになって来月すえにしゅったつをせねばならんのでな、式張ったことはぬきにして、ともかく八日に祝言《しゅうげん》をしようという話だ。そのもとのほうでもべつにあらためて支度をするには及ばないと思うが、しかし猫《ねこ》の子をもらうわけでもないから、ひと通りの道具は揃《そろ》えなければ」

「お話ちゅうでございますが、どうぞしばらく」

とめどがないので右太夫が口をいれた。

「なんだ、不承知か」

「不承知とは申しませんが、あまり突然のお話で、どうもすぐこうこうとご返事は申しあげかねます、生涯《しょうがい》の事でございますから、一応考えさせて頂きたいと存じます」

「それはもっともだ、生涯の事だからな。けれども玄蕃のほうはもうよく考えたうえのことらしいがな」

あたりまえでしょうと云いたかった、しかし、右太夫にはべつに用件があった。

「そのお話は、たしかに承りました、よく考えてお返事をつかまつりますが。べつに一つお願いがございます」

「祝言の入費なら心得ておる」

「いえそうではございません、実はさきごろからわたくし消火の道具を考案しておりました」

「消火の道具とはなんだ」

「火消しに用います物で、これまでのように手桶《ておけ》をもって水を掛けているのでは高いところへ届きませんし、その手桶を運ぶために列をつくり、往来が止まってこのたびのようなお咎《とが》めを蒙《こうむ》るばあいも」

「それだ、それだったよ」

六左衛門はにわかに眉《まゆ》をひらいた。そして、机の上から一綴《ひとつづり》の書類をとりあげながらそそくさと立った。

「なにかさっきから喉《のど》まで出ていてわからなかった。きょうはそのお咎めの申開きをするために、若年寄のもとへ出掛ける日だった、それをひょっとど忘れしたもので眼の前にあるこの書類がみつからなかったのだ、では行ってくる」

「ま、お待ちください、ただいまお話し申しました消火の道具につきまして」

「ああ見にゆく見にゆく、明日見にまいるから支度をしておけ」

あるじがどんどん出て行ってしまうから、しかたがない右太夫も中畔家を辞した。

すっかり頭がちらちらして、立原からの縁談などはまるで雲をつかむような気持だった。

「とにかく明日見に来るというのだから、こっちのほうを急がなくてはなるまい」

家へ帰ると、すぐに右太夫は自分の仕事場へはいっていった。

二

火事は江戸の華《はな》と云われた。「華」という表現は江戸人のやけくそとから景気をまぜたもので、火事になると大きくなるし、いつも巨万の財物を灰燼《かいじん》し人畜の命を失うのが例だった。それで明暦《めいれき》の大火の翌《あく》る年、すなわち、万治元年九月に幕府ではじめて四人の「火消役」を置いた、これが定《じょう》火消というものである。それからおいおい制度が備わるにつれて、「方角火消」「近所火消」「大名火消」などというものがはっきりと定った。この大名火消の中では、加賀藩前田家のものが最も有名で、ひと口に「加賀鳶《かがとび》」と云われるくらい名の通ったものだったのである。

加賀鳶の名がはじめて世に知られたのは、享保《きょうほう》三年十二月、本郷弓町の火事のときのことだった。その辺は幕府の定火消仙石兵庫の責任地区になっていたが、出火と共に、加賀家の消火隊が出てすばやく消してしまい、仙石兵庫の隊が駈《か》けつけたときは、すでに鎮火したあとであった。そのとき両者のあいだに争闘があり、兵庫の隊の者に死傷者が出たりしたが、幕府の決裁によって前田家の勝になった。この事件でいっぺんに「加賀鳶」は江戸市中へ名を売ったのである。

いわゆる加賀鳶と呼ばれるものを完備したのは、前田家五代綱紀《つなのり》の功績であって、本郷の上屋敷に二班、駒込《こまごめ》の中屋敷に二班、つごう四班の消火隊が設けられていた。直接消火にあたるのは、市中から選抜して傭《やと》った腕っこきの鳶人足であるが、支配には物頭二名、その下に大小姓組の者八名がおり、ほかにもちゃんと予備隊のそなえができていたのである。……中畔六左衛門は物頭六百石《こく》で、上屋敷「二の手」支配だった、そして伊藤右太夫はその支配うちで「水がかり」という役を勤めていた。

その頃《ころ》の消火法は幼稚なもので、さあ火事だというと何百となく手桶（玄蕃という）を持ちだし、井戸なり川なりまた用水なり、手都合によって汲《く》み上げたものを、現場まで人を列《なら》べて順繰りに送って消したものである。だからおいそれとは消えないし、大きくしないためには風下にある家をぶち壊して火止めにするのだが、烈風のときなどは役に立たなかった。伊藤右太夫はその水がかりの役で、火事のたびに手桶送りを指揮しなければならない、そしてその手桶の水をやっこらさと火へうち掛けるのを見るたびに、これは埒《らち》のあかぬことだという感をふかくした。

——なにか方法はないものか。もっと敏速に、もっと高く水を届かせる法がありそうなものだ。

ふとそう思いついてから、彼はこつこつと独りで工夫をはじめたのである。右太夫は決して才能すぐれた人物ではない、食禄《しょくろく》は百石、小姓組のきわめて平凡な、その代りこのうえもなく気の弱い善良な男だった。だから工夫にかかるといっても、べつに奇想を凝らすなどということはなく、まず誰でも考えつきそうなところから手をつけた。すなわち子供の水鉄砲である、それも自分で思いついたのではなかった。ある年の秋、江ノ島へ旅をしたとき、藤沢山清浄光寺《しょうじょうこうじ》へ参詣《さんけい》にたち寄った。清浄光寺はつまり時宗総本山の遊行寺《ゆぎょうじ》である。そこの僧侶《そうりょ》に清光院喜善という人がいて、その人が大小無数の水鉄砲を作り、寺内の水まきに使っているのをみた、それから思いついてはじめたのである。以来一年あまり、誰にも云わずに根気よく作ったものが五つ、ようやく完成したので、今日はじめて中畔支配に見てもらうことに決めたのであった。

中畔六左衛門は急がしかった。その数日まえ根岸のほうに火事があって、加賀家の消防隊が出動したとき、例の手桶送りの列が往来の邪魔をしたというので幕府からお咎めがあった。これは曾《かつ》ての仙石事件とおなじく、定火消と大名火消との反目が原因で、べつに加賀家に失策はないのである。しかし六左衛門は責任者として当時の事情をしらべたり、若年寄へ出頭したりしなければならなかったのだ。

六左衛門の多忙は右太夫もよく知っていた。それで消火道具の工夫ができたことも知らせてよいかどうか迷っていたのであるが、呼ばれたのをさいわい思いきって話しだしたのだ。

「さあ、明日こそ一年の苦心の花が咲くぞ」

すっかり準備を済ませて、右太夫はひさかたぶりにぐっすり眠った。その明くる朝である、眼がさめると、なんだか気持がうきうきしていた、ばかに愉快で、からだ中が幸福でいっぱいになっているような感じだった。

「へんだな、苦心した消火道具が世に出るのはうれしいが、それだけでこんなにうきうきした心持になるかしらん」

独り言を云いながら、夜具の中から起きだしたとき、ひょいとその幸福の原因に思い当った。思い当ると同時に、右太夫はうおっと大きく喚《わめ》き、

「そうだ、立原から縁談があったんだ」

と自信たっぷりに呟《つぶや》き、両の拳《こぶし》でとんとんと胸を叩《たた》いた。するとまるでそれを合図のように、若い家士が走って来て、

「申上げます、ご支配役がおみえになりましたが、いかが仕《つかまつ》りましょうや」

「ご、ご支配役？」

右太夫はあっと慌《あわ》てだした。

「いま、いままいる、しばらくお待ちを願っておけ、いますぐにまいる」

「なにやら急用との仰《おお》せでございます」

「いますぐ、すぐだ」

三

顔を洗うのも、身支度をするのも夢中だった。玄関へとびだしてゆくと、

「やあ騒がせて済まぬ」

と、六左衛門のほうから声をかけた。

「いえ、わたくしこそ無礼を仕りました、かように早くおみえ下さるとは存じませんでしたので」

「早すぎるとは思ったが、なにしろ一刻も捨ておけぬことなのでな、実は昨日はなした立原の三女の話だが」

「あれは、あれは謹んでお受けをいたします」

右太夫はちょっと赤面しながら、

「少々身分ちがいとは存じますが、わたくしを見込んでとの仰せ、ご辞退申すべきではないと考えますので」

「まあ待て、それに就《つい》て詫《わ》びにまいったのだ、とにかく、ひどい間違いをしでかして申しわけがない、なにしろ眼のまわるようなさいちゅうのことだから」

「なにごとでございましょうか」

「つまり、立原の三女のことだがな、ぜひ伊藤右太夫にもらって呉《く》れという話で、すぐにまあそこもとに申し伝えたわけだ」

「たしかに、承りました」

「それが間違ったのだ、つまりそこもとの伊藤右太夫でないほうの伊藤右太夫だったというわけだ、つまりこっちの右太夫ではなくて、あっちの右太夫だったのだ」

ぜんぶ同じ字で書く伊藤右太夫がもう一人いる、たしか半年ほどまえに駒込の中屋敷から来た男で、書院番かなにかしているという話を聞いていた。

「気がついてみるとあっちの右太夫は三百五十石、立原とは、身分も家柄《いえがら》も相応で、そこもとと間違えるのがおかしいくらいのものだが、はずみというものは恐しい、とにかくそういうわけだから、どうか六左衛門一代の失策として忘れてもらいたい、頼む」

「いえ、そのご会釈《えしやく》では痛みいります。わたくしも実は、いささか身分がちがいすぎますので、どうかしらんと考えてはみたのですが」

「なにまた良縁はほかにいくらでもある、決して気をおとすことはないぞ。これでわしも落ち着いた、ゆうべふと気がついてから独りで汗のかき通しだった。ではこれで……」

云いたいことを云うと、そのままさっさと帰りそうにした。右太夫は急いで、

「ああしばらく、お待ちを願います」

「……うん？」

「昨日申しあげました消火道具、支度ができておりますゆえ」

「おお、そんなことを聞いたっけな」

「おてまはとらせませぬ、ごらんになって頂きとうございます」

右太夫は、あたふたと組長屋のほうへ走って行った。

なんにも考えたくなかった。問題は明白である、「六左衛門が感ちがいをした」それで話はきれいさっぱりである。考えてはいけない。右太夫は頭を振りながら、組長屋から鳶の者を呼びだして来た。そして南の火の見櫓《やぐら》の下へ消火道具の実演の用意を

させた。

「ほう、これがその道具か」

六左衛門はさすがに興味を惹《ひ》かれたとみえ、近寄って来て手に取った。

「まるでところてんを突き出すような物だな」

「はあ、水鉄砲から思いつきました」

「いやところてんだ、ところてんを突き出す道具によく似ておる、ふうむ」

ひどく感心したので、握っていた鳶人足たちがくすくす笑った。

それは実際ところてんの道具によく似ていた、厚い板を四角に合せて真鍮《しんちゆう》の輪をかけ、元が大きく先が細い、その細い先から、更に細くなった筒が出ている、そして、棒の先に四角な板の付いたものを中へ入れ、水を吸い込み押し出す仕掛けである。

「これは一人持ちでございます」

右太夫はいちばん小さいのを取り、用水桶から水を吸い取ってやっと押し出してみせた。水は出た、勢よく出はしたが、子供の水鉄砲とたいして違いはなかった。

「つまりこの理窟《りくつ》です、是では玩具《おもちゃ》も同様ですが、五人持ちの分は役に立とうかと存じます。これ、ここへまいれ」

鳶人足を呼んで、最も大きい物をまん中へ運びだした。是は大きかった。筒を五人で持ち、棒を二人で扱うという水鉄砲の豪華版である。六左衛門は興ありげに前へのりだした。

四

「それ、先を充分に水へつけて、いやもっと深く入れるのだ。よし、棒の者はいっきに引く、力いっぱいにぐいぐい引け、そうでないと水が充満しないぞ。そらよし」

鳶人足たちは云われる通り上手にやった、用水桶の水はまるで底を抜かれたように、大きな筒の中へみるみる吸い込まれた。

「よしよし、そこで筒をあげる。いいか、押すんだぞ、それ！」

五人が担《かつ》ぎあげた筒。棒を持った二人はうんとひとつ、顔を赤くしながらけんめいに押した。水は筒先から噴き出したか……否《いな》！　前へは出なかった。むしろ筒の口からうしろへと噴き出した、すさまじい勢で四隅《よすみ》からぴゅーっとはしり出た。そして棒持ちの二人は云うまでもない、そばにいた右太夫も、六左衛門までが頭からこいつをかぶった。

わっという短い叫び声は誰があげたかわからない、しかし、わあっと大きく残ったのは、筒を担いでいる五人がいっせいにふきだす笑い声だった。

「これは、こ、これは粗忽《そこつ》を致しました」

「ええたくさんだ」

右太夫が慌てて駈け寄るのを、濡《ぬ》れ鼠《ねずみ》のようになった六左衛門は、ふきげんに手を振って、

「あんまり馬鹿《ばか》げていて腹も立たん。いや云うな、なるほど思いつきはよいかも知らん、しかし水を掛けるのは火事場の火で、火を消す者が浴びたってしようがないぞ」

「はっ、是はまことに思いのほかの失策でございました、けれどもこちらの三人持ちのほうなれば必ず」

「たくさんだ、また夏にでもみせてもらおう」

六左衛門は精いっぱいの皮肉を云って、羽織の裾《すそ》から水をたらしながら去って行った。

どんなに右太夫ががっかりしたか、ここでくどく説明するには及ばないだろう。あんなにうきうきして起きたのに、からだいっぱい幸福感にあふれた朝だったのに、早くも今は雲泥月鼈《うんでいげつべつ》の差になってしまった。あんまりひどい。左様あんまりひどい話である。せめて消火道具でも花を咲かせてくれたら、その朝の不幸も半分で済んだろうに、両方いっぺんとはひどすぎる。

——あの遊行寺の喜善和尚《おしよう》のせいだ、あんな物を作って人を迷わせるなんて、僧職に似合わしからぬ男だ。

——ご支配役だってなんだ、そこもとの人物を見込んだから三女を娶ってやれなんて、それがひと晩のうちに感ちがいだ、こっちの右太夫じゃなくってあっちの右太夫。まるで、まるで……。

二三日むしゃくしゃしていた、こんなときに酒でも呑《の》めるといいのだが、酒屋の前を通っても酔うというほうで、気を晴らすという方法がない。ただ消火道具だけには未練があるので、そっと自分の家の裏へ取り出して試してみた。

一人持ちから二人持ちまではよかった、しかし三人持ちとなるともういけなかった、それだけの量の水を遠く飛ばすには人間の力では不可能なのである、それに小さいものだといいが、三人持ちとなるともう、どうやっても口元の方へ水が噴きだしてしまうのであった。

「これだ、この口元の方へ噴きださない工夫をすればいいんだ」そう思いつくと、

——よし、きっとやるぞ！と、また元気が出はじめた、もう立原の三女もくそもない。この工夫ひとつが成功すれば、なにもかもみかえしてやれるんだ。

元気がつけばもとの伊藤右太夫である、すっかり気持も落ち着いて、火事さえ無け

れば閑職だから、また自分の仕事場へはいってこつこつやり始めた。……するとある宵《よい》のことだった。仕事を終ったあとで風呂場へ行ったが、考えごとをしていたのでひょいと湯壺《ゆつぼ》へはいってしまった。それは俗に五右衛門風呂というやつで蓋《ふた》が浮いている、その蓋をしずかに沈めて底にしてはいるようになっているのだが、そのとき右太夫はいきなり蓋の上から踏みこんだ。蓋はほとんど縁《へり》とすれすれになっている、それをいきなり上から踏みこまれたので、体重で沈むと同時に、まわりの隙間《すきま》からびゅっと湯が噴出した。

びしっと、叩きつけられるように顔へ湯をくらった右太夫は、舌打ちをしながらとび退《の》いた、しかしとび退いた刹那《せつな》、彼の眼がきゅうにいきいきと光りだした。

「ははあ、なるほど、こいつは……」すぐにもういちど、浮いてきた蓋へ足をかけた、ぐいと押すと、こんどは少し傾いたので、一方だけから湯が噴きだした。もういちどやった、更にもういちど、真直ぐにしてやったり、片方へ傾けたり、押す力も色々に変えて繰返しやった。

「これだこれだ。これだ」

右太夫はそのまま風呂場をとびだし、着物をひっかけて仕事場へとびこんだ。

「はっくしゃん、はあっくしょん」

連発するくしゃみの声といっしょに、仕事場の灯《ひ》はその夜おそくまで消えなかった。

五

明る日には作業方から大工が四人呼ばれて来た、しかし家士も家僕も仕事場へは入れない、四人の大工を相手に籠《こも》りっきりで、朝早くから夜ずっと更《ふ》けるまで、木を挽《ひ》いたり釘《くぎ》を打ったりする物音がつづいていた。

「またなにか珍物ができるとみえるぜ」

「当人は本気だからかなわねえ」

「気をつけねえと、また水をかぶせられるぜ」

組長屋では鳶の者達がしきりに悪口を云いあっていた。

日は遠慮なく経《た》って十二月になった。その六日の夕方のことだったが、明かずの仕事場の大戸ががらがらとあいて、右太夫と大工四人がなにか大きな物をえっさえっさと担ぎだして来た。それをみたのは組長屋の者たちだった。

「それ、なにか持ちだしたぞ」

「また恐しくでけえもんだな、こんどはご家中《かちゅう》まとめていっぺんに水をあびせようというのだろう」

「あぶねえから遠くへ寄ってろよ」

担ぎだして来たのは縦三尺に横二尺、深さ二尺五寸ばかりの厚板の箱で、まん中に支柱があり、それへ横に天秤《てんびん》のような棒が附《つ》いている、またまん中の支柱の横のところからは、木で作った筒が斜めに伸びていた。右太夫はその天秤のような棒を二三度うごかしてみたが、

「おい長屋の者」と、振り返って呼んだ。

「玄蕃（水手桶）で用水桶から水を運んで来てくれ、どんどん持って来るんだ」

「へい。そらおいでなすったぞ」

鳶の者たちは首をすくめたが、いやとは云えない、しぶしぶ手桶を持ちだして、用水桶から水を運びはじめた。……もうかなり黄昏《たそがれ》の色が濃くなって、夜霜のひどさを思わせるようにしんしんしんと冷えて来た。水はどんどん箱へ汲みこまれた、右太夫は四人の大工に、

「では二人ずつ左右へかかれ」と命じた。大工は左右にわかれて、天秤をがっしと握った。このまえ水をあびた鳶の者たちは、慌てて遠くへ逃げだした。

「さあ、用意はいいか」右太夫がそう云ったときである、向うから中畔六左衛門が息せき切ってとんで来たと思うと、いきなり右太夫の袖《そで》をつかまえて、

「待て、ちょっと待て右太夫、たいへんだ」

「どうなさいました」

「どうしたではない、わしはえらい失策をやらかした、まず家へはいってくれ、家へ」

「もうたくさんです、お支配」右太夫は袖をふり払って、「それより今日こそごらん下さい、あれから籠りっきりで作りあげた消火道具を、これから試してみようとしているところです」

「な、なに、また水か」

六左衛門は本能的にとび退いた。右太夫は見向きもせずに道具のそばへ寄って、

「ごらん下さい、是は五右衛門風呂から思いついたのです、いや、五右衛門風呂の蓋をいきなり踏み込んだときに思いついたのです」

「だが右太夫、それよりもわしは」

「蓋をいきなり踏み込んだときに、蓋と湯壺の縁との隙間から恐しい勢いで湯がとびだしました。つまり先日の五人持ちの水鉄砲の、口元から水が噴きだしたのと同じ理窟です」

「けれども待ってくれ、右太夫」

「押し出す力を強くし、水の逃げ口を狭くするほど、噴きだす水の勢いは大きく、かつ烈《はげ》しくなります、ごらん下さい。……この箱の中に筒がありましょう、これがつまり五右衛門風呂です、この筒の中には蓋と同じ仕掛け板があり、それを上のこの天秤で上げ下げするのです、水の出口はこの横に出ている細い筒です。つまり天秤をこうすれば湯壺に相当する筒の中へ水が充満し、片方を上げれば、充満した水がこの細い筒口から出るのです」

「ええ待てと云うのに、細い筒も太い筒もない、五右衛門風呂などはそっちへどけて、ちょっとわしの申すことを聞けというのだ」六左衛門は、声いっぱいに喚きたてた。

「このままえわしは感ちがいと申したろう」

「……はあ」

あまり声が大きいので、右太夫もひょいと振り返った。

「あれは間違いじゃ、感ちがいと申したのはやはり感ちがいで、本当は感ちがいではなかったんじゃ、あっちの右太夫だと思ったのがつまり感ちがいだったんじゃ、わかるか」

「まるで、相わかりません」

「つまりこうじゃ、わしがあのとき感ちがいと申したのは」

「いや拙者から話そう」

そう云って進み出て来たのは、かねて顔だけは見知っている立原玄蕃だった。おやいつの間にと、ふり向いた右太夫の眼にもう一人、玄蕃のうしろに十七八の美しい娘が、じっと眼を伏せている姿がはっきりとうつった。

「これは……立原さま」

「こっちだのあっちだのとばかげた話だ、一言にして云えばわいが頼んだのは貴公なのだ。それが今日この中畔がまいって、伊藤右太夫はすでに妻帯をしておると申す、よく訊《き》いてみるとつまり書院番の右太夫じゃ。ばかばかしい、それも今日になってやっと……」

「待て待て、それはわい、わしも緩怠であった、だからそれは重々詫びておる、しかし知っての通りわいわしは全く多忙で」

「多忙は多忙、縁談は縁談じゃ、こっちは娘の一生のことなんじゃ、それを『伊藤右太夫はもはや妻帯しておる』などと。ばかな、わしは初めから伊藤右太夫に娘をやりたいと申しておるんじゃ」

「だからわいわしも初めに伊藤右太夫にそう申したのだ、けれどもふと考えると身分が」

「身分がなんじゃ、人物にみどころさえあれば乞食《こじき》にでもくれるぞ」

「ばかなことを云う、まさか乞食などに」

「いや遣《や》る、必ず遣る、誰がなんと申しても」

老人ふたりやっきと口論をはじめた。こうなるときりがない。右太夫は構わず振り返った。

「さあ始めよう」

と、消火道具のほうへ戻って来た。

「用意はいいか、では力いっぱい頼むぞ」

大工四人は天秤の左右へ手をかけた。

「それ！」

「えっさ、えっさあ、えっさ」

「えっさ、えっさあ、えっさ」

天秤の片方が上れば片方が下がる、三回、四回、力まかせに押しているとやがて、支柱の横に出ている筒口から水が噴きだしはじめた。まるで息をつくように、高くなり低くなりして四五尺あまりのところに上下する。

「そら、力をいれて、そら」

「えっさ、よいさ」

「えっさ、よいさ」

四人の大工はけんめいだった。そのうちに見ていた鳶の者が一人、天秤の左へとびついた。

「よし、おいらが手を貸そう」

「おれもいくぞ」

また一人、右の天秤へとびついた。それをきっかけにばらばらと三四人、誘われるようにとびだして来た。えっさえっさ、天秤が烈しく動きだすと共に、筒口の水はざっと、飛沫《しぶき》をあげながら見上げるほど高く噴きあがった。

「やったー、あがったあがった」

「わああ」

天秤を押す者も見ていた者も、いっせいにわっと躍りあがって叫んだ。

「水を運べ、水が足りないぞ」

右太夫が叫んだ。見ていた者たちが言下に手桶をつかんで走ってゆく。すると……立原玄蕃の娘菊枝は、手早く裾をからげ襷《たすき》をかけたが、そのまま空いている手桶を取っていっさんに駈けだした。

「あ、これ菊枝」

玄蕃がびっくりして呼び止めようとした、すると六左衛門が袖をひいてうなずいた。

「止めるな、この方が話は早そうだ」

「なに？……ああそうか」

「そうだとも、はっはっは。それより見ろ、こいつは竜のように水を噴きあげるぞ」

菊枝はけんめいに水を運ぶ、筒口は天にも届けと水を噴きあげる。……宝暦《ほうれき》五年に「竜吐水《りゅうどすい》」として世にあらわれた手押し喞筒《ポンプ》の原案は、斯《か》くしていま高く高く成功の花を噴きあげている、あたりはすっかり暮れていた。


（「譚海」昭和十七年一月号）

友のためではない

# 一

――よし、こいつ斬《き》ってやろう。

会沢寅二郎《あいざわとらじろう》は即座に心を決めた。以前から時どきそう思うことがあった。生かしておいてもお役には立たない。いや、うっかりすると御家の名を汚《けが》すようなこともしかねないようだ。いくたびもそう思ったが、相手の角之助《かくのすけ》の父蒔田内記《まきたないき》は、庄内藩酒井家にとっては功労のある人物で、角之助はたった一人の男子だった。

父親の心を思い遣《や》ると気の毒でもあるし、また相手を斬れば、自分も切腹は免《まぬか》れない。あんなつまらぬやつのために、命を捨てるのは残念だという気持もあった。おそらく家中《かちゅう》の者は誰しもそう考えたであろう。それがまた、角之助を増長させる因《もと》でもあった。藩家に功労のある老臣の子であり、膂力《りょりょく》も強く、十八歳という年には似合わず、刀法にもずばぬけた腕をもっている。――ずいぶん厳しく育てたつもりだが、と、父親の内記も歎息《たんそく》するが、それほど悪くなっているとは知らないらしい。結局は誰も抑える者がないので、類をもって集る仲間と好き勝手なことをする。それがだんだん目に余るようになった。

その数日まえ、会沢寅二郎は国家老に呼ばれて、江戸にいる御主君への使者を命ぜられた。参覲《さんきん》ちゅうの酒井《さかい》忠当《ただとう》から、「国許《くにもと》の書庫にある、これこれの書物を調べて、寅二郎に持って来させるように」

と、とくに名指しの申しつけがあった。……常づね学問のお相手には、彼と杉沼欣《すぎぬまきん》之丞《のじょう》という者とがよく召される。二人は同年の十八歳であり、また無二の友でもあったが、気の強い寅二郎にたいして、おとなしい欣之丞はいつも蔭《かげ》にまわるようにしているため、忠当から御声のかかるのも、どちらかといえば寅二郎のほうが多かった。

そのときの御用もほんとうなら欣之丞の役なのだが、御指名だからやむをえず、彼は欣之丞に相談をして、書庫の調べを手伝ってもらった。そして角之助との争いは、その調べが終って、いよいよ出立という前日のことだったのである。

「明日出立いたします」と、国家老に届けて下城する途中、大手の桝形《ますがた》のところで、向こうから駈《か》け足で曲って来た男があり、避《よ》けようとした寅二郎とはげしく衝《つ》き当った。しかも相手はいきなり、「ばか者、眼《め》を明いて歩け」と、ど鳴りつけた。それが角之助であるのを見て、寅二郎はむらむらと怒りがこみあげてきた。火急の御用でもない限り、城中を駈けまわるということはないものだ。おのれのほうこそ謝罪すべきだのに、そう思っているところへ押しかぶせて、「なんだ会沢の青瓢簞《あおびょうたん》か、刀の抜きようも知らず、無用の字ばかり見ているから道も満足には歩けない、学問ができても御馬前のお役には立たんぞ」

その一言が、堪忍《かんにん》の緒を切った。――よし、こいつ斬ってやろう、寅二郎は即座にそう決心し、「どちらが御馬前のお役に立つか、試してみようではないか」と、叫んだ。

二

その夜、かなり更《ふ》けてから、寅二郎はひそかに杉沼欣之丞を訪ね、角之助との始末を語った。「……それで、斬ったのか」欣之丞はしずかに訊《き》き返した。「斬った、鉄砲的場の裏の原でみごとに斬って来た、そして、そのことはなんでもないのだが、斬ったとたんに、江戸への使者の役目を思いだしたんだ」寅二郎は暗然と面《おもて》を伏せた、「……こいつ斬ってやれと思ったときは、恥ずかしいが使者の役を忘れていた、日頃《ひごろ》からの忿《いか》りが一時にこみあげて、前後のふんべつを失ったのだ」

「…………」

「角之助を斬ったからには、おれも切腹する、それについて頼みがあって来たのだが、江戸への使者の役をそこもとに代ってもらいたいのだ」

「それはいけない」欣之丞は、そっと頭を振った、「……役目は殿からそこもとへの御指名だ、江戸へはそこもとが行かなくてはいけない」

「しかし角之助を斬った以上は」

「それはおれが引受ける」穏かにおちついた声で、欣之丞はそう云《い》った、「……相手が相手だから切腹せずとも解決のつく方法はあると思う、それはよく考えて、おれが始末をつけるよ、そこもとはかまわず江戸へ出立するがいい」

平常から控えめな、思慮の深い欣之丞ではあり、そのときのおちついた口ぶりが、いかにもなにか思案ありげだったので、なお二三押し問答をしたのち、寅二郎はついに友の意見に従うことにきめた。

「では、役目を果して帰るまで、角之助とのことを頼む、帰って来たらどのようにも責任をとるから」

そう云い交わして杉沼の家を辞したのであった。

寅二郎が江戸邸《やしき》へ着いたのは、万治二年の十月はじめだった。そして着いた三日めに、国許から急使があり、『杉沼欣之丞が蒔田角之助と私闘をし、相手を討ち果したうえ、自訴して出たので、藩の掟《おきて》どおり切腹させた』ということが、江戸邸の家中に披露《ひろう》された。……寅二郎は色を失った。「いかん」と思い、すぐ老職に事実を告げようとしていると、そこへ急飛脚が欣之丞からの手紙を届けて来た。寅二郎は震える手で封を切り、すぐにひらいてみると、――この手紙がそちらへ着く頃は、すでに自分はこの世を去っているであろう。そういう書きだしで、次のような簡単な文章が記してあった。

藩家のおんために蒔田角之助を処分せざるべからざることは、いささか志ある者の等しく期しいたるところにござそろ。そこもとは誰かがなさざるべからざることを率先してなした。すなわちことは私闘にあらず、御家百年のおんためにて候《そうろう》。……

拙者が自訴し、御法どおり切腹の仰《おお》せつけを蒙《こうむ》り候こと、そこもとお聞きの節はおそらく『友情のため』とも思《おぼ》し召さるべし、もしさようなれば、お考え違いなること、ここに判然と申し上げ候。僭上《せんじょう》には候えども、拙者はそこもとこそやがて御家の柱石たるべき人物なりと、かねてより確信をもって期待しまいり候。いかなることありとも、角之助ごとき者の命と取替えには相成らず、誰が責任を負って死すべきかとなれば、御家将来のためには、そこもとより拙者の死すべきがまだしもにござそろ。……そこもとは藩家のために、誰かがなさざるべからざることをなされ候。されば拙者も藩家将来のために、誰かが負わざるべからざる責任を負いしまでにて、断じて些々《ささ》たる友情にはこれ無く候。

念のため一筆という結びの文字を読みながら寅二郎は泣いた。友情のためではないと断るのは、『この心を無にしてくれるな』という悲壮な叫びである。自分は『私闘の罪で切腹』という、さむらいとして不名誉な死にかたをしても、藩家の柱石となる友を生かすことができれば悔いはない。そういう欣之丞のひとすじな心が、いま寅二郎には痛いほど鮮やかに感じられる。――そうだ、この杉沼の心を無にしてはならない。彼は涙を押しぬぐって座を立った。――おれは欣之丞と二人ぶんの御奉公をしなければならぬ。柱石となることはできずとも、この命ひとつをかならず二人ぶんのお役に立てるのだ。

出仕の刻限がきていた。寅二郎は支度を改め、なにごともなかったもののように、しずかに御殿へ上っていった。そして友の死がほんとうに友情のためであるかないかより、それほど自分を信じてくれた友のためにも、全力を尽くして、『お役に立つ人間』にならなければならぬと誓うのだった。

（「海軍」昭和二十年五、六月合併号）

# 世間

# 一

悪田《あくた》君次《きみじ》はどちらかというと小男のほうである、ずいぶん苦心して高く見せようとするのだが、やはり小男ということに変りはない、彼はそのことを気に病んで、

「おれがもう二寸高ければもっと出世をしているんだ」

と云《い》い云いした。それからまた彼はまだ三十そこそこなのだが、もう頭がうすく禿《は》げかかっているし、活気に満ちた額は禿げる人に特有の光りかたをし始めている（しかしもちろんこんなことは重要ではない）。彼はいつもきちんとした身状《みなり》をして、帽子と買物包みを手に持ち、大股《おおまた》に街を歩いている。そして友達をみつけると高く片手をあげながら、

「やあー」

と叫ぶ、「君に会うだろうと思っていたよ、お茶でも飲もう」

そして相手がそれに諾否の答えをする暇もなくさっさと近くの喫茶店へはいって行くのである。そういう押つけがましい態度がひどく得意で、人がどう思うかなどということを考えていた日にはとても生きてはゆかれないというのが彼の信念であった。

悪田君次は借金の名人として友達なかまに知られている、たんになかまばかりでなく、彼を知るほどの者でまだ一度も彼から無心をされなかったという者はない。彼は着道楽といわれるにふさわしいだけの衣類を持っているし、必要以上の贅沢《ぜいたく》な室《へや》を借り、また三千冊に足《た》らんとする蔵書を積み上げているが、これらのものはほとんど誰かのふところを痛めた結果にほかならぬのだ。つまり悪田君次はのっぴきならぬ借をするばかりでなく、まったく不必要と思われる借までするのである——もっとも後者の場合にものっぴきならぬ口実をつくることに遠慮はしないのであるが。

「盲腸が痛みはじめてねえ君」

と彼は云う、「おとつい君と麦酒《ビール》を呑《の》んだのがいけなかったんだ。医者は二週間ほど絶対安静にしろと云うんだが、二週間なんてどうにも凌《しの》ぎがつかない、弱ってるんだよ」

「僕もいま手もとに無いんだが」

「君は雑誌ジャックに書いていたじゃないか、あそこの稿料は二十日が支払い日じゃなかったかね、ああ……畜生」

と彼はひどく辛《つら》そうに脇腹《わきばら》を押える、「またしくしく始めやがったぞ、これはいよいよ切開手術かもしれない、弱り目に祟《たた》り目だ」

そして友達からなにがしかを借受けると間もなく、彼は片手に何かの買物包みと帽子を持って、大股に街を歩いているのである。

あるとき彼は小説家の頭岸九太郎《とうぎしきゅうたろう》氏に紹介された、そのとき頭岸氏は彼の癖を聞いていたので、

「あらかじめ断っておくがね君」

と彼に云った、「僕は原則として金の貸借をしないことにしているんだ、わずかばかりの金のためにお互いの友情を傷つけるようなことはばかげているからね」

「ああそうですか」

と悪田君次は答えた、「僕はまたわずかばかりの貸借で傷つけられるような友情なら、はじめから軽蔑《けいべつ》しますね」

もっともこの会話をどのあたりまで信じてよろしいかは分らぬ、というのがこれらの言葉は悪田君次が自分で友人に語ったもので、そのとき彼はその友人に金を借りようとしていたのであるから。

「要するにねえ君、人間の生きかたは一つしかないんだ。貸方になるかそれとも借方に廻《まわ》るか――大事なのは金ではなく、金のどちら側へ立つかなんだ」

と彼は云う、「たとえば君と僕にしよう、どちらが金廻りが良いかというともちろ

ん僕のほうが良い、もちろんこれは仮定だ――ところで二人で一緒にお茶を飲む、人間というやつは金廻りの良い相手に奢《おご》られることを自尊心に恥るものだが、そのお茶の代金を君が払う、ここが要点だぜ……初めに君が払った、だから次には僕の番だと思うだろう、ところがそううまくはいかない、二人の位置はもう定《き》まっているんだ。君はどこまでも貸方だ、たとえ君が父親の葬式に必要な金しか持っていないときでも支払いは君がする、ときによって異例があるとしても、それはたんにひとつの現象であって、いちど決定した二人の位置はけっして変らないのだ、嘘《うそ》だと思ったら君自身の経験をよく考えてみたまえ」

だから自分は借方に廻るのだという悪田君次の世間学は、押つけがましい彼の態度に似合った低俗なドグマにすぎなかったが、それにもかかわらずみんな思い当るものを考えさせられたのは事実であった。

## 二

悪田君次は大森馬込《まごめ》町の丘の下に住んでいる。その町は十年ほど前まで『日本のバルビゾン』と呼ばれたことがあり、多くの画家や詩人たちが住んで一種の調子の高い雰囲気《ふんいき》をつくりあげていた土地であった。その後幾多の変遷《へんせん》があって、二三の人を残すほかたいていどこかへ逃げだして（こういう雰囲気にながく堪えることは容易ではない）しまったが、今でも丘の上の赤屋根の家や、家陰のじめじめした小径《こみち》や、潰《つぶ》れてしまった酒屋の廃屋などに、その頃《ころ》の消しがたい伝説や亡霊がのこっていて、新しく移って来る人たちに奇妙な感銘を与えるのである。――さてある夜のこと、悪田君次は頭岸九太郎氏のところで志摩《しま》勇三《ゆうぞう》にひきあわせられた。頭岸氏は東洋的な強いアクセントをもつ短編作家として知られ、また酒豪ということでも名があったから、氏の書斎にはつねに吟遊放浪の詩人たちが集まって来た。志摩勇三もむろんその一人である。

「悪田君」

と志摩は汚い手を差出しながら云った、

「僕はこれっきりの人間なんだ、嘘も隠しもないこのとおりの人物だ、何もかもざっくらばん（彼はいつもそう訛《なま》った）にやっていくのが僕の主義なんだ、なあ頭岸――君はよく知っているだろう」

頭岸氏はにやにや笑いながらこの良き取組を見守っていた。

志摩勇三はそのとき三十八九であったろう、蒼白《あおじろ》い顔に口髭《くちひげ》を美しく刈りこんで、高い額をあげながらものを云うときにはなかなか高邁《こうまい》な感じを相手に与えるのだが、気の毒なことに右足がぴっこでおまけに顔面神経痙攣《けいれん》とでもいうか、二三分おきに顔の右半面が電光のようにひきつれ、同時に鼻と喉《のど》の奥から一種の擦音を発するのである。この痙攣が起るときには鼻の下がぐっと伸び、右の眉《まゆ》が上下に烈《はげ》しく動き、また右の眼《め》だけがぱちぱちと眼叩《まばた》きをするので、ちょうどそれが相手にウインクを与えるように思われるのであった。

志摩勇三は勝手放題なことを云って悪田君次に肉薄した。彼は一番劣等な言葉でしか高い感情を表現することのできぬ一時代の詩人たちの一人であった。

「おまえふぐりがあるだろう、悪田君次。何をびくびくするかい、もっとまっすぐにこっちを見るんだ、おまえは自分のふぐりを摑《つか》むか。え？　為事《しごと》ができるかできぬかはそれを摑んでみれば分るんだ、おれなどは毎朝……」

それから彼は悪田君次の背中を力いっぱいどやしつけ、きさまは気に入ったと云いながら押しころがして頰《ほっ》ぺたを舐《な》めた。

それはじつに奇妙な場面であった、悪田君次はどうかして威厳を取戻そうとするようすで、肩を揺すり上げたり咳《せき》をしたり鼻にかかる声で諧謔《かいぎゃく》を述べたり、それからまた顎《あご》をつきあげたりしてみるのだが、相手はもうてんでこっちを良い餌食《えじき》だと思いこんでいるので、どんな示威運動も効を奏さなかった。志摩勇三は思うさま彼を疲らせ

たあげく、

「だが、それにしても」

と改った調子で云いだした、「悪田君次は良い顔をしているな頭岸、こいつは大きな野心をもっている。そうだろう悪田、おまえの顔には大きな野心がはみ出しているぞ、おまえはきっと伸び上るぞ」

そうして悪田君次が身構えをする暇もなく、「ときに金を少し貸してくれないか」

と云った。

悪田君次があとになって告白したところによると、このときの志摩の気合には「一分の隙《すき》もなかった」という。剣道の名人が人を斬《き》る場合にも、あれほど正確に相手の急所を衝《つ》くことはあるまい、ということであった。

「なんだ、まだあるじゃないか」

悪田君次が銀貨を二三枚取出そうとしたとき、志摩勇三はすばやくがまぐちの中を覗《のぞ》きこんで云った、「みんな貸したまえ、いま頭岸に原稿を頼んでおいたから二三日うちにはみんな返すよ、やあありがとう」

志摩勇三は袂《たもと》へ金を投込むと、べつにありがたくもなさそうな調子でにやりと笑った。

# 三

頭岸氏は貧乏ゆすりをしながら、悪田君次がまんまと金を『借りられたというこのすばらしいニュース』を、最初に誰に話してやろうかと、ぞくぞくしながら考えていた。

志摩勇三が傲然《ごうぜん》と帰って行ったあと、悪田君次は不安そうに、そしてまた責任の大半は頭岸九太郎氏にあるかのごとく、

「なにしろきょう洗濯《せんたく》屋が勘定取りに来る日なんで、それをみんな持って行かれちゃってまったく困りますよ」

としょげた顔つきをした。頭岸氏はつきあげてくる嬉《うれ》しさをまぎらすために、ますます貧乏ゆすりの調子を大きくしながら、

「僕のところでも電燈を止められそうなんだ、洗濯屋なんか君、どうにでもなるが電燈を止められては敵《かな》わんからな」

「いったい志摩というのは何者ですか」

「彼は君あれだけの男さ、だがあれでも大阪の志摩徳三《とくぞう》の三男だからな、今では勘当になっているが、いざとなれば二万や三万の金は右から左へ撒《ま》きちらせるやつだよ」

「それは本当ですか」

「無論本当だ、だから君、十円や二十円のはした金を貸したからって、そうくよくよする必要はないよ」

悪田君次は説明しようのない深遠な表情をしながら帰って行った。

志摩勇三は金を返さなかった。たんに返さなかったばかりでなく、隙《ひま》さえあると借りに来た。しかもその態度において悪田君次をまったく抑えたのである、——彼は巧みに自分のびっこや、顔面神経痙攣や、右の眼だけのウインクや、鼻と喉の奥から洩《も》れる擦音や、それらの武器を自由に駆使しつつ相手を絞りあげるのだ。

彼は初めて悪田君次の部屋にやって来たとき、積みあげてある書物にじろりと一瞥《いちべつ》をくれるや、にやりと遠慮もなく冷笑して云った。

「君はずいぶん本を持っているな、僕も若い頃は蔵書道楽でね、篏込書棚《はめこみしょだな》へこうずらりと背革を並べては眺《なが》めているのが好きだったよ、もっともそんな趣味は二年とは続かなかった、間もなくみんな叩き売って呑《の》んじまったがね」

「だが僕はべつに眺めるために本を買うんじゃないぜ、今のところは何よりも——」

「僕の云うことをそう気にする必要はないさ、いまのは話だ、それからこうして立派に本の並んでいるところはやっぱり悪くはないよ」

悪田君次はひどく自尊心を傷つけられて不機嫌《ふきげん》に黙った。ところが志摩勇三にとっては相手の不機嫌などは屁《へ》のようなものである。彼は書棚の中から悪田君次が自慢にしている稀覯《きこう》本をみつけだして、顔面をひきつらせながらせかせかと褒《ほ》めあげ、見る者が見ればこのような本一冊あるだけで蔵書の価値が決定できる、などとわけの分からぬことを云ったあと、すばらしい気合で悪田君次のがまぐちから金を巻上げてしまった。

情勢はすでに決定したのである、十五銭の電車賃から割れた下駄《げた》の代金まで悪田君次は絞り取られた。そしていつも、借りる志摩が毅然《きぜん》としているに反して、貸すほうの悪田がおずおずしているのであった。

この関係はおおよそ一年あまり続いた、すると不意に志摩勇三はどこかへ見えなくなってしまった。悪田君次はついにそわそわし始め、頭岸氏のところへ行っては、

「志摩はどうしていますか、来ませんか」

と気遣わしげに訊《き》くのであった。

「このごろちっとも現れないが、やつのことだからどこかへめりこんでしまっているんだろう、だが彼になにか用事でもあるのかね」

「いやべつに」

悪田君次は慌《あわ》てて話題を変えたが、そのうち何気ないふうを装って、志摩勇三が大阪の志摩徳三の三男であるというのは本当のことかどうか訊《たず》ねた。

「そういう噂《うわさ》もあるねえ」

と頭岸氏は答えた、「いや、たしかにそうだと聞いたよ。だがそれがどうかしたのかね」

「べつにどうということもないんですが、あなたがいつかそんなことを云っていたじゃありませんか、もし本当に志摩徳三の子供なら、今頃は勘当を許されて何か大きく商売でも始めたんじゃないかと思いますがね」

「それもそうだな」

頭岸氏は眼尻《めじり》ですばやく悪田君次の顔色を読んだ。そしてふくれあがってくる可笑《おかし》さを打消すために、腕組をしたまま貧乏ゆすりを始めた。

「そうだ、ことによると今頃はどこかで豪遊でもしているかも知れないな、やつはこのまえにも一度勘当を許されたことがあるよ、ところがきゃつのことだからすぐ良い気になって、なんでも四五万ばかりつまらなく費《つか》い捨てちまったんだ」

「遊ぶんですか」

「遊ぶのなんのって君、まるで途方もないことをやるからな、まるで君、話だよ」

悪田君次は不安そうな眼で壁のどこかをまじまじと見守っていた。

志摩勇三が、本当に大阪の金貸王志摩徳三の三男であるかどうかということについてはよく分っていない。本当だとすると幾多の疑問があるし、また嘘だと云ってしまえぬ事実もあるのだ、それについてはあとに語るが——とにかく悪田君次の気持はひどく混乱し始めた。

かような状態で九十日ほど経《た》った、ある夜のこと、悪田君次は付近の交番巡査の訊《じん》問《もん》を受けたのである。

「君は志摩勇三という男を知っているか」

と巡査が云った。「その男がいま堀留署《ほりどめ》にあげられていて、君を引取人に指名しているそうだから、十五円持って引取りに行くように、すぐ行かぬとめんどうだから」

「しかし、いったいどういうことであげられているのですか」

「なんでも無銭飲食だそうだ」

「僕が行かなければならぬのでしょうか、じつは志摩と僕とはほんの顔馴染《なじ》み程度の仲で、ほかにもっと深い交際をしている者があるんですが……」

「君を指名するほどだから相手は君をもっとも信頼しているんだろう、とにかく行くだけは行かんとめんどうだから」

そう云って巡査は立去った。

悪田君次は憤慨した、なぜなればその日彼は頭岸九太郎氏から二十円ほど借りたばかりで、彼はそれにいくらか足して明日にでも新しく洋服簞笥《だんす》を買うつもりでいたからである。しかしどうしようもなかった、彼は——どこかで豪遊しているであろうという予想とはあまりにかけ離れた場所へ、志摩を引取りに出かけて行った。

志摩勇三はすりきれた垢《あか》まみれの衿《えり》に、無精髭《ぶしょうひげ》を伸ばしたみじめなかっこうで、警察署の片隅《かたすみ》にふところ手をして慄《ふる》えていた。

しかし悪田君次の姿をみると急に肩をあげながら、

「やあすまんな君」

と叫んだ、「つまらぬ側杖《そばづえ》を喰《く》ってひどいめに会ったよ、金は持って来てくれたかね」

「持って来たよ、なにしろ面倒なことになるかも知れんと云うんで、じつは僕も一文無しのところだったからね、本を売ってどうやら作って来たんだ」

「なに、本なんかどうにでもなるさ」

志摩勇三はうす汚れた手で紙幣をひっ摑むと、ベンチの端のほうに座っていた日本髪の肥《ふと》った女のほうへ振返り、当直巡査に向ってぺこぺこ何やら釈明しながら金を支払った。

警察を出ると、志摩勇三は隙もなくしゃべりだした。どうして無銭飲食などにひっかかったかということをくどくどと説明するのであった、しかし悪田君次にとってはそんなことはどうでもよろしかった。

「君はどうしていたんだ、まるで馬込へ来なかったじゃないか」

「うん、しばらく大阪のほうへ行っていたんだ」

「勘当を許されでもしたのかい」

「あははははは、勘当か」

志摩勇三はびっこをひきひき笑った。その笑い声は悪田君次の心底を鋭く刺してあまりあるものだった、そこで悪田君次は狼狽《ろうばい》しながら心の内で怒り、ぶすりと黙った。

「勘当されているのはおればかりじゃないぞ悪田君次」

志摩はやがて喚《わめ》きだした、「君も勘当されているんだ、頭岸だってそうだ、我々はみんな人生に勘当されているんだぜ」

そして鼻と喉の奥から擦音を出し、街角で悪田君次から電車賃を借りて立去った。

四

そんなことがあったにかかわらず、志摩勇三はやはり馬込へ現れなかった。

志摩徳三の三男であるということに疑いをもちはじめた悪田君次は、こんど志摩が借金を申し込んできたら手厳しく拒絶してやろうと待ちかまえていたが、彼の気を良くする機会はなかなかやってこなかった。かくて前の夜のことがあってからさらに六十日ほど過ぎた、ある日暮がたのこと――、悪田君次は誰か道から自分を呼んでいるのを聞きつけて窓を明けた。

「おーい悪田」

坂道のところに自動車が一台停《と》まっていて、その小窓から志摩勇三が首を出していた。

「やあいたな、ちょっと下りて来ないか」

「どうしたんだ」

「今度おれはさんわ貯蓄銀行の品川支店長になったんだ、おまえまだ知らんのか」

「本当かい、それは……」

「これを見ろ」

志摩は扉《とびら》を明けて道へとび出した。きりたてのすばらしいモーニングだ、髪毛《かみのけ》も油でかためているし髭も美しく刈りこみ、二十円以上とひと眼でふめる靴《くつ》をはいている、——彼は右手の拇指《おやゆび》をチョッキの脇へはさんで、

「昨日から就任祝いをやっているんだ、築地のせんなりで芸者十五人あげづめよ、みんな来ているんだ、頭岸も精井も浜迫もいる、みんなへべれけになっているんだぞ。おれだけはきょう銀行へ出てさっきまで事務をみていたんだが、これからまた行かなくちゃならぬ、それでおまえを誘いに来たんだ。下りて来い」

「いまちょっと為事をしているんだが」

「ばかな、きさまの顔には行きたくてしようがないということがはっきり出ている、為事なんかうっちゃっとけ、金が入用ならおれが融通してやる、早く下りて来いよ」

「じゃあ、支度をするから」

「支度なんているかい、そのままでじゅうぶんだ」

　悪田君次は立上った。志摩勇三が志摩徳三の三男であるということを彼は湯のように胸の中でたぎらしながら外套《がいとう》をひきかけるのもそこそこに階下へ下りて行った。ところが下駄をつっかけて玄関をとび出し、坂道のほうへ石段を下りかかると——志摩勇三はふいに片手をあげて、

「いや待てよ」と考えながら云った、「待てよ、こいつは少しおかしな具合だぞ、おれがきさまを贅《おご》るというのはかっこうがつかねえぞ」

「――――」

「止《よ》そう悪田君次」

志摩勇三は傲然と云った、「おれは独りで行くよ、そしてきさまのところへはやはり十五銭借りに来るよ、失敬」

そして彼は顔面神経をひきつらせながら悠然《ゆうぜん》と車の中へ乗りこみ、ばたんと扉を閉めて大声に築地へ行けと叫んだ。

そして自動車は坂道を下りて走り去った。

『貸方と借方とは人間関係を決定する』という世間学を語るとき、悪田君次の表情がいかに悲痛な黙示をもつようになったか、彼の友達なかまで今やそれに気付かぬ者はない。

（「アサヒグラフ」昭和十一年二月五日号）

# 解説

木村久邇典

たしか昭和三十年代のなかごろのことだったと思う。山本周五郎が某新聞に「私の創作料理」という短かいエッセーを書いた。

わたくしの記憶では、酒の肴《さかな》に〝納豆のバターいため〟というのを考案して、実際にやってみたところ、石のごとくにカチンカチンに固まって、とんだ失敗であった――というのであった。

山本はみずから〝喰《く》いたしんぼ（喰いしんぼではない）〟と称するほど甘《うま》いものには目のない方《ほう》で、自分でもチョコチョコと酒のつまみを工夫するのが好きであった。

「このごろ美食家を自認する人たちが増えてきたのは結構だが、そのくらいなら、すくなくとも二、三品の創作料理はもっていなくっちゃね」

と云《い》ったものである。

他人《ひと》の作らない独自なものを工夫しなくては――という態度は、とりもなおさず、小説に対する山本の基本姿勢であって、文学に志を立てて以来、生涯《しょうがい》かわることがなかった。

本書に収録した十三編は、昭和十年から昭和二十年に至る間に発表された作品で、すべて十五年戦争の期間に含まれており、文学史的に〝文学不毛の時代〟とよばれる時期に執筆された作品である。

山本周五郎は、戦時中「時局に迎合するような小説は一編も描いたことがない」と言い切ったものである。通読して、まさに作者の言葉どおりだったことを更《あらた》めて感じさせられたと同時に、一作一作に試みた趣向の豊富さと斬新《ざんしん》さに驚ろかされたのであった。

もちろん戦後の山本作品に比較すれば、短所欠点はおおうべくもないにしても、技法的に多様な挑戦によって新境地を開拓しようとした作者の意気込みは、各編から生ま生ましく伝わってくる。

さて発表日時順に、各編について、若干の解説をこころみよう。

『恋芙蓉《こいふよう》』は昭和十年三月号「キング」に発表した小説。『松林蝙也《へんや》』（昭和十三年一月号「キング」）、『牡丹《ぼたん》花譜』（昭和十三年三月号「婦人倶楽部」）や『樅《もみ》ノ木は残った』（昭和三十二年講談社刊）とともに伊達《だて》藩を背景にした作品で、伊達政宗の長沼城攻めに加わった朱兜《しゆかぶと》隊隊長勘三郎と、隊士で親友の鞆《ともの》之助《すけ》の、小菊をめぐる恋と友情の物語である。勘三郎が彼女を諦《あきら》め、潔《いさぎよ》く戦死する結末がすがすがしいが、小菊が鞆之助を慕っているると独り合点するいくたてが、ごく自然に描かれているところは、三十二歳の作者にしてはみごとである。ただ、屍体《したい》となった勘三郎が、小菊のくれた芙蓉を包んだ袱紗《ふくさ》を握っていたという最終場面はいかにもおあつらえ向きで安っぽい。

なお、この小説の背景になっている福島県長沼は、中山義秀の出世作『碑《いしぶみ》』の舞台として扱われており、両作品に描写されている場所も至近の距離にある。近年、この地を訪れたわたくしは、生前親しかった二人の文学者の奇縁を、あらためて感じたことであった。

『孤島』は昭和十年八月号「雄弁」に執筆した作品である。初期時代の力作といっていい。父の敵《かたき》を求める兄妹《きようだい》と当の敵が偶然に乗り合わせた船が、台風に遭って無人島に漂着し、互いに恩讐《おんしゆう》を越えた友情を抱くようになる。時の経過にしたがって敵の十次郎が、妹の夏江に好意以上のものを抱いてゆく――という構成は、極限状態の孤島という情況設定も相乗して十分な説得力をもつ。救助船がやっと現われたときに自刃《じじん》する十次郎の身の処し方は、彼がやや虚無的な人間に描かれているだけに感動的である。後日の『暴風雨《あらし》の中』（昭和二十七年九月「週刊朝日増刊号」）、『砦山《とりでやま》の十七日』（昭和二十八年十月「サンデー毎日増刊号」）、『畜生谷』（昭和三十四年四月「別冊文藝春秋」）なども極限状況での人間追究が主題に据《す》えられているのだが、このテーマは、すでにこの時分から作者の胸中にあたためられていたのであったろう。わたくしはこの度、『孤島』を読み返して、菊池寛の『恩讐の彼方《かなた》に』や『俊寛』を連想した。しかも先行のこの優れた二作品に比しても、決して遜色《そんしょく》ないものと感じた。船が大海に翻弄《ほんろう》される台風場面の臨場感あふれる迫真性は秀逸である。

『非常の剣』は昭和十一年七月号「雄弁」に掲載された作品（のち、昭和十六年七月に桜木書房から公刊されるに際し『島原伝来記』と改題された）。

密貿易の見張り番所頭《がしら》に抜擢《ばってき》された青年武士が、自分の上司である番所総取締方や目附役の一味こそが〝抜け荷〟の張本人であることを突きとめ、断固、〝非常の剣〟を振るって悪人どもを殲滅《せんめつ》するという痛快な物語。青年を思慕する芸妓の悲恋なども あしらい、娯楽性ゆたかな小説になっている。早いテンポでの物語展開も快いが、半面、いかにも型どおりの出来合いの作品という読後感は否《いな》めない。

ただし、藩政の腐敗場面を織り込んだ晩年の作品、『いしが奢《おご》る』『町奉行日記』『ながい坂』などの数シーンに共通する組立てを共有していることに気づかれるムキもあるに相違ない。山本の小説を練り上げる過程を知るうえで興味ふかい作品といえるであろう。

『磔《はりつけ》又七《またしち》』は昭和十一年十二月、「富士」増刊号に執筆した小説である。謀《はか》られて磔刑《たっけい》に処せられることになった仏師の又七が、幸運にも刑死をまぬがれて、木食《もくじき》精進のすえ、十五年かかって遂《つい》に五智仏を彫りあげるという物語で、山本周五郎には珍しい異色の作品である。初期の『法林寺異記』『羅刹《らせつ》』や後期の『扇野』『虚空《こくう》遍歴』にも通底する修業譚《たん》だが、昭和十一年の『竹槍《たけやり》念仏』、十五年の『遊行寺《ゆぎょうじ》の浅』などとも仏教が背後の旋律となっていることで共通している。作者が東京・大森区の馬込《まごめ》に住んでいたころ（昭和六年〜二十一年）に親しく交際した藤沢・遊行寺の僧侶《そうりょ》吉川清に啓発されたものだったかもしれない。

『武道宵節句《よいぜっく》』は、昭和十三年三月号「新少年」に発表した小説である。

立派な剣術の腕を持ちながら時運に恵まれず貧窮の生活を余儀なくされ、ついに自殺まで考える兄とその妹。彼らに配するに父を陥《おと》しめるために、父が預かっていた主君の宝刀を盗んで逐電《ちくてん》した剣術指南を追って旅に出た兄妹を対置し、剣術達者の兄が、一方の兄妹を助けて剣術指南を討ち取ってやるという構図は単純明快で、事すべて八方めでたく収まる結末は娯楽性十分である。筆調もテキパキとしてこころよい。「新少年」という少年向けの雑誌に発表した作品だが、丁寧な仕事ぶりはさすがである。だが、この小説にかんする限りは、典型的な通俗小説の枠《わく》を脱してはいない。

『一代恋娘』は昭和十三年十月号「講談雑誌」に掲載された。

水戸の若君徳川吉孚《よしたね》を恋い慕う水戸家の出入商人奈良屋伝右衛門の娘お千賀が、公衆の面前で若君の乗物にとりつくという奇矯《ききよう》な振舞いに出たのは、老中や奈良屋が吉孚を謀殺して、讃岐守《さぬきのかみ》頼常の子を跡目に据えようと謀っていることを告げたいためであった。以前、若殿が奈良屋の向島の別荘に滞在したことがあり、お千賀はその時から吉孚を激しく慕っていたのである。老中らの計《はから》いで若殿の側仕《そばづか》えとなったお千賀は、奸臣《かんしん》らが殿に盛った毒薬をあおぎ、陰謀のすべてを明かして死ぬ。「――恋の気持では無かったのか」と若殿に訊《き》かれてもお千賀は「恋、恋ではありませぬ」と否定し続けるという悲恋物語で、作者はこうした結構に余情を塗りこめようとしたのであったろうか。

史実を背景に、空想をないまぜて一編の小説を構成してゆく作者の楽屋うちが、かなり明瞭《めいりよう》に読み取れるのが面白い。

『奇縁無双』は昭和十四年九月号「婦人倶楽部」に発表した作品である。

我儘《わがまま》で武術自慢の藩主の姫を、来栖《くるす》伊兵衛はへつらうことなく、無遠慮にこらしめるという痛快な廉直《れんちょく》さが、この小説のテーマになっている。暗夜、餓狼《がろう》の出没する洞《どう》窟《くつ》へ姫をとじこめて彼女の鼻ッ柱を徹底的にへし折るばかりか、心細くなった姫が、たくましい伊兵衛に心を傾けるようになってゆく趣向も、また姫の武術修行や日ごろの奔放な行動を容認してきた藩主の真意は、実は姫に教唆《きょうさ》した婿《むこ》さがしの賢明な思案だったという種あかしも、山本がこの時分、すでに巧者な小説作者だったことを、遺憾なく物語っている。

このテーマを戦後になって、さらに肉付けしたのが『椿説女嫌い《ちんせつおんなぎら》』（昭和二十三年二月号「娯楽世界」）や『しゅるしゅる』（昭和三十年十月号「オール読物」）へと結晶していくのである。

『春いくたび』は昭和十五年四月号「少女之友」に執筆した小説である。

昭和十五年になると、山本は格段の進歩を示し『宗七しぐれ傘《がさ》』『立春なみだ橋』『抜打ち獅子兵衛』『土佐太平記』『城中の霜』『三十二刻』『松風の門』『鍬《くわ》とり剣法』（のちに『壺《つぼ》』と改題）『内蔵允《くらのすけ》留守』といずれ劣らぬ佳編《かへん》を発表し、作品の出来、不出来もぐんと少なくなる。才華ようやく春を迎えたかの感がある。『春いくたび』はそうした作者の急成長期に描かれた小説で、たしかな手ごたえを感じさせる。

維新戦争に赴くために戦場に去った清水信之助を、ただひとすじに待つ香苗《かなえ》の営む救護院に、四十年後はこばれてきた記憶喪失の老人こそ、香苗がひたすらに待ちつづけた清水信之助だったのだが、香苗が老人の正体を知ったとき、彼は救護院を立ち去った直後のことであった——。待つこころの哀《かな》しさ、美しさを、やや感傷的に謳《うた》って、余韻を印象的なものにしようとしている。戦争のはかなさを嘆く心も紙背にこめられていることを見逃がしてはなるまい。なお文中に、

〈香苗の家は信之助の清水家に次ぐ旧家であった。厚さ三尺もある土塀《どべい》が、屋敷まわりの三方を取巻いていた。その中には母屋《おもや》だの隠居所だの、厩《うまや》だの下男たちの小屋だのが建っていたし、広い柿《かき》畑さえ取入れてあって、その柿畑のうしろはそのまま段登りに、深い松林で山へと続いていた〉

とあるのは、山本の本籍地山梨県韮崎《にらさき》市の大草町若尾にあった清水（山本周五郎の本姓）家の往時のさかんな様を、想像的に再現したのであったろう。山本没後、わたくしはなんどか若尾の里をおとずれたが、そのたびに、〝甲州ぎらい〟を自認しながらも、望郷のこころを失なうことのなかった山本の心事を憶《おも》ったものである。

『与之助の花』は昭和十六年五月号「譚海」に執筆した小説。

題材は顕微鏡を組み立てようとする変わった物語である。時代背景が江戸時代であるだけにもの珍しさも増幅される計算が、作者のなかではしっかりできているようだ。

与之助が藩の宝物のレンズを無断借用している秘密を握ってゆすりつづける丈右衛門。弟与之助のよき庇護者《ひごしゃ》である兄信蔵と兄の許婚《いいなずけ》由紀――などの人物配置も輪郭あきらかで、筋立てに陰気くささがある難を除けば、上質の娯楽作品である。『万太郎船』。昭和十六年八月号「譚海」に発表した作品。太平洋戦争開戦はわずか四カ月のちであった。

竹とんぼを舟の後ろにつけて推進機とし、五つの歯車をかみ合わせ、推進機を回わして舟を速く進める、というのが万太郎の新工夫なのだが、万太郎の職人気質《かたぎ》が巧みに描かれ、実は悪人だった財産管理人の仁兵衛《にへえ》や、入水自殺を計ったおすえなどの取り合わせも巧妙で、

〈海からのぼった月は、いまその新しい光でこの家《や》を祝福するように、かがやきだしていた〉

という結びも、将来の光明を暗示していて楽しい。

『噴上げる花』は昭和十七年一月号「譚海」に執筆した小説である。

これも『与之助の花』『万太郎船』と同様〝発明もの〟の一編で、より効率的な消火道具を工夫しようと腐心する伊藤右太夫《うだゆう》の物語である。他の登場人物たちもユーモラスな筆調で活《い》き活きと描かれ、江戸における消火の歴史が簡潔にしかも効果的に挿《そう》

入《にゅう》されているところも心憎い。伊藤右太夫の工夫は、宝暦五年に世に「竜吐水《りゅうどすい》」と呼ばれた手押しポンプの原案だったというのだが、やや早いテンポでの物語の展開は、この小説にはピタリである。巧者なできばえだ。

山本周五郎の最晩年の長編大作『虚空遍歴』は、端唄《はうた》という短曲の世界から抜けだして、本格的な新しい劇場音楽の創造に全生命を賭《か》ける青年作曲家中藤冲也《ちゅうや》の物語であるが、その源流のひとつは、これら『与之助の花』『万太郎船』『噴上げる花』のなかにも求めることができそうである。

『友のためではない』は、昭和二十年五、六月合併号「海軍」に発表された。太平洋戦争敗戦直前の作品である。戦勢はまことに深刻で、用紙事情も極端に切迫していた。この作物《さくもつ》が掌編に近い短編なのにかかわらず、厳粛な気配がただよっているのもその故《ゆえ》であろう。

真の〝友情〟とはなにかを、いまの時代にもあらためて問いかけているように思われる。私闘の罪を一身に負って切腹する武士が、その遺書に単に友情のために犠牲になるのではなく、藩家百年のためだと云い残す。〝犬死〟ともみえる死に様の背後に、侍のいさぎよい、しかし困難な生き方を、簡明に描き切っている。

なお余談にわたるが、山本自身がメモした作品年譜によると、講談社が発行していた少年向け戦意昂揚《こうよう》雑誌「海軍」の昭和二十年七月号に、つづけて『功名心』という短編を執筆した模様である。だが、同誌は五、六月合併号を以《もっ》て廃刊となったので、原稿は惜しくも散逸したものと推測される。

『世間』は昭和十一年二月五日号「アサヒグラフ」に仁木繁吉のペンネームで掲載された現代小説である。

人生は貸し方に回わるよりは借り方に回われ、というのは、山本周五郎が〝若い友人〟の杯に酒を注《つ》いでやりながら語った人生訓のひとつであった。もっとも山本は、雑誌・出版社からは遠慮なく原稿料を前借りしたものだったけれども、自分と気の合った友人には気前よくオゴることを楽しみにしているような一面さえあった（といっても、その間《かん》も人間観察を決して怠たることはなかったのだが）。

『世間』は、金銭を支点として、貸し方、借り方に判然と区別される人間の性格の典型を、あざやかに対比させた好短編で、書きあげたときに、おそらく洩《も》らしたであろう作者の独笑が、目に浮ぶような思いがする。

借金の名手である悪田君次《あくたきみじ》の、さらに上をゆく志摩勇三《しまゆうぞう》――という取り合わせは、たしかに〝世間〟というものの持つ貌《かお》の一半を明確に抉《えぐ》りだしていると評すべきであろう。

（平成四年八月、文芸評論家）

「恋芙蓉」は実業之日本社刊『山本周五郎強豪小説集』（昭和五十三年三月）、「孤島」は同『山本周五郎感動小説集』（昭和五十年六月）、「非常の剣」は同『山本周五郎痛快小説集』（昭和五十二年十一月）、「磔又七」「武道宵節句」「友のためではない」は同『山本周五郎爽快小説集』（昭和五十三年六月）、「奇縁無双」は同『山本周五郎浪漫小説集』（昭和四十七年十二月）、「春いくたび」は同『山本周五郎愛情小説集』（昭和四十七年九月）、「与之助の花」は同『山本周五郎修道小説集』（昭和四十七年十月）、「噴上げる花」は同『山本周五郎滑稽小説集』（昭和五十年一月）、「世間」は同『山本周五郎現代小説集』（昭和五十三年九月）、「一代恋娘」は成武堂刊『内蔵允留守』（昭和十七年三月）、「万太郎船」は文化出版局刊『山本周五郎婦道物語選下』（昭和四十七年十二月）にそれぞれ収められた。

# 表記について

新潮文庫の文字表記については、原文を尊重するという見地に立ち、次のように方針を定めました。

一、旧仮名づかいで書かれた口語文の作品は、新仮名づかいに改める。
二、文語文の作品は旧仮名づかいのままとする。
三、旧字体で書かれているものは、原則として新字体に改める。
四、難読と思われる語には振仮名をつける。

なお本作品集中、今日の観点からみると差別的ととられかねない表現が散見しますが、作品自体のもつ文学性ならびに芸術性、また著者がすでに故人であるという事情に鑑み、原文どおりとしました。

（新潮文庫編集部）

# 新潮文庫最新刊

畠中 恵著
**いちねんかん**
両親が湯治に行く一年間、長崎屋は若だんなに託されることになった。次々と降りかかる困難に、妖たちと立ち向かうシリーズ第19弾。

早見和真著
**ザ・ロイヤルファミリー**
山本周五郎賞・JRA賞馬事文化賞受賞
絶対に俺を裏切るな——。馬主として勝利を渇望するワンマン社長一家の20年を秘書の視点から描く圧巻のエンターテインメント長編。

奥田英朗著
**罪の轍**
昭和38年、浅草で男児誘拐事件が発生。人々は震撼した。捜査一課の落合は日本を駆ける。ミステリ史にその名を刻む犯罪×捜査小説。

藤原緋沙子著
**冬の霧**
—へんろ宿 巻二—
心に傷を持つ旅人を包み込む回向院前へんろ宿。放蕩若旦那、所払いの罪人、上方の女義太夫母娘。感涙必至、人情時代小説傑作四編。

遠田潤子著
**月桃夜**
日本ファンタジーノベル大賞受賞
薩摩支配下の奄美。無慈悲な神に裁かれる、血のつながらない兄妹の禁断の絆。魔術的な魅力に満ちあふれた、許されざる愛の物語。

高丘哲次著
**約束の果て**
—黒と紫の国—
日本ファンタジーノベル大賞受賞
風が吹き、紫の花が空へと舞い上がる。少年と少女の約束が、五千年の時を越え、果たされる。空前絶後のボーイ・ミーツ・ガール。

# 新潮文庫最新刊

三川みり著
龍ノ国幻想4
炎《も》ゆ花の楔《くさび》
皇尊《すめらみこと》となった日織に世継ぎを望む声が高まる。伴侶との間を引き裂く思惑のなか、最愛ゆえに妻が下した決断は。男女逆転宮廷絵巻。

堀川アサコ著
悪い麗人
―帝都マユズミ探偵研究所―
殺人を記録した活動写真の噂、華族の子息と美少年の男色スキャンダル……伯爵探偵と成金助手が挑む、デカダンス薫る帝都の事件簿。

百田尚樹著
地上最強の男
―世界ヘビー級チャンピオン列伝―
モハメド・アリ、ジョー・ルイスらヘビー級チャンピオンの熱きドラマと、彼らの生きた時代を活写するスポーツ・ノンフィクション。

乃南アサ著
美麗島プリズム紀行
―きらめく台湾―
ガイドブックじゃ物足りないあなたへ――。いつだって気になるあの「麗しの島」の歴史と人に寄り添った人気紀行エッセイ第2集。

関裕二著
継体天皇
―分断された王朝―
今に続く天皇家の祖でありながら、その出自をもみ消されてしまった継体天皇。古代史最大の謎を解き明かす、刺激的書下ろし論考。

山本文緒著
自転しながら公転する
中央公論文芸賞・島清恋愛文学賞受賞
恋愛、仕事、家族のこと。全部がんばるなんて私には無理！　ぐるぐる思い悩む都がたどり着いた答えは――。共感度100％の傑作長編。

# 与《よ》之《の》助《すけ》の花《はな》

新潮文庫　　や - 2 - 57

平成　四　年　九　月二十五日　発　行
平成二十二年　四　月　十　日　二十三刷改版
令和　四　年十二月　十　日　二　十　五　刷

著　者　山《やま》本《もと》周《しゅう》五《ご》郎《ろう》

発行者　佐藤隆信

発行所　株式会社　新潮社

郵便番号　一六二―八七一一
東京都新宿区矢来町七一
電話　編集部(〇三)三二六六―五四四〇
　　　読者係(〇三)三二六六―五一一一
http://www.shinchosha.co.jp

価格はカバーに表示してあります。

乱丁・落丁本は、ご面倒ですが小社読者係宛ご送付ください。送料小社負担にてお取替えいたします。

印刷・錦明印刷株式会社　製本・錦明印刷株式会社
Printed in Japan

ISBN978-4-10-113458-1　C0193